카이로프랙틱 용어사전

감수 이 모선 대체의학박사
편저자 인곡(仁谷) 정 지문 대체의학박사

도서출판 대학서림

인사말

감수 이 모선 대체의학박사

저자 정 지문 박사님과 동문수학하며 알게 된 지도 어느덧 여러 해가 지났습니다. 제가 아는 정 박사님은 늘 카이로프랙틱에 대한 열정으로 가득 찬 분이셨습니다.

정 박사님은 일본과 우리나라를 오가며 카이로프랙틱에 대한 이론과 수기를 연마하시어 동문인 제 눈에도 실로 '대가'의 경지에 오르신 분으로 여겨져 늘 존경심을 갖게 하는 대상이셨습니다. 또한 동문이란 연결고리에 매달려 마치 제가 도달한 경지인 양 착각하고 자부심을 느끼곤 했음을 고백합니다.

카이로프랙틱이나 대체의학 분야가 처한 현실적 난관에도 굴하지 않으시고, 지금까지 여러 권의 책을 번역하여 출간하신 점도 깊이 감사드립니다만 카이로프랙틱 의학용어 사전이란 이 책의 출간은 더 큰 의미가 있다고 생각됩니다. '시작'이란 첫 발은 내딛기는 힘들지만 일단 용기를 내는 순간 '반'만큼을 내딛게 되는 마법이 숨겨져 있듯 박사님의 이 첫 발걸음이 우리나라 카이로프랙틱 발전에 기여할 것임을 확신합니다.

늘 건강하시어 우리나라 카이로프랙틱과 대체의학 발전에 더 큰 족적을 남기시길 간절히 염원합니다.

편저자 인사말

카이로프랙틱을 배우면서 힘든 것 중의 하나가 용어의 문제였습니다. 생소한 의학용어가 계속해서 나오는데, 카이로프랙틱 의학용어사전이 없어서 두꺼운 사전을 하나하나 찾았던 기억이 생생합니다. 카이로프랙틱이나 도수치료가 널리 알려지고 많은 사람들에게 사랑을 받고 있는 작금, 그리고 카이로프랙틱을 배우고자 하는 분들이 점점 많아지고 있는 지금에 늦은 감이 많이 있지만 이렇게 카이로프랙틱 용어사전을 낼 수 있음에 마음 뿌듯하게 생각하고 있습니다.

본 용어사전은 두 분의 도움이 없었다면 세상에 빛을 보지 못했을 것입니다.

한 분은 일본 과학신문사의 사장을 역임했으며, 현재 고문직을 맡고 있는 사이토 신지 씨의 아낌없는 도움이었습니다. 한국에 카이로프랙틱 용어사전을 내고 싶다는 마음을 전하자, 과학신문사에서 출판된 카이로프랙틱, 도수치료 관련 책의 모든 용어에 대해서 조건없이 무료로 사용할 수 있도록 허락을 해주셨습니다. 한국의 카이로프랙틱 발전에 조금이나마 도움이 된다면 언제든지 서포트하고 싶다는 따뜻한 마음과 함께.

다른 한 분은 동문수학을 했던 이 모선 박사님이십니다. 이 박사님에게 카이로프랙틱 용어사전의 감수를 부탁드렸을 때, 국내에도 전문 분야의 용어사전이 필요하다는 것에 적극 공감하며, 바쁜 와중에서도 기꺼이 감수를 해 주셨습니다.

이 박사님께서는 대체의학 분야에 조예가 깊으시며, 국내의 대체의학 발전을 위해서라면 열정을 다하시는 분이십니다. 진심으로 이 박사님께 감사를 드립니다.

본 용어사전은 과학신문사에서 출판된 카이로프랙틱, 도수치료 책의 용어와 그 외 다른 카이로프랙틱, 오스테오파시 책에서 사용된 용어 그리고 의학용어 사전을 참고하여 편저를 하였습니다. 카이로프랙틱 용어사전이라고 하지만, 미진하고 부족한 부분이 많이 있는 것 또한 사실입니다. 이 부분에 관해서는 더 전문가분이 본 용어사전을 참고하시고 더 완성도 높은 용어사전을 만들어 달라는 의미가 포함되어 있습니다. 저는 카이로프랙틱과 도수치료 발전에 미약한 힘이나마 디딤돌 하나를 놓는다는데 의미를 두고 있습니다.

아무쪼록 본 용어사전이 카이로프랙틱이나 도수치료, 대체의학에 관심 있는 분들에게 조금이라도 도움이 되었으면 합니다.

끝으로 국내의 카이로프랙틱, 도수치료 분야의 발전을 위해 본 용어사전을 제작하는데 아낌없는 지원과 도움을 주신 대학서림 사장님과 관계자분들께 깊이 감사를 드립니다.

인곡(仁谷) 정 지문 대체의학박사 드림

목차

1 카이로프랙틱 용어

용어 편집 설명

1. 빈번하게 사용되는 카이로프랙틱 용어를 기반으로 하여 그 외 오스테오파시나 의학용어, 엑스레이에서 사용되는 일부 용어도 필요에 따라 선정하였다.
2. 카이로프랙틱이나 오스테오파시 등의 테크닉이나 그에 관계되는 용어는 이해를 돕기 위해 그 분야에 맞게 적절한 설명을 첨가하였다.
3. 용어의 이해를 놉기 위해 약어 표시를 통해 설명하거나 또는 "괄호", A＞B 표시를 사용하여 설명하였다.

약어
C : 카이로프랙틱의 독특한 용어, 용법.
주: 주의사항
반: 반의어
관: 관련어
예: 예의 표시
A＞B: A가 B보다 상대적으로 관계가 더 있음을 의미
( ) : 상황에 따라 적절한 설명 첨가

4. 카이로프랙틱 등의 서적이나 논문에 빈번하게 사용되는 약어 수록
5. 카이로프랙틱이나 도수치료에서 사용되는 방향, 위치, 운동을 표현하는 용어 수록
6. 인체의 각 기관에 빈번하게 사용되는 전문의학용어 일부 수록
7. 요즘 의학용어가 신용어로 바뀌는 과정인데, 본서에서는 옛 용어를 기준으로 편저를 하였다. 이 부분 독자 여러분들의 양해를 구하고 싶다.

A

abdominal pressure: 복강 내압

abduction: 외전 반 adduction: 내전

abnormal involuntary movement: 이상 불수의 운동

abrasion: 찰과상

ACA: C american chiropractic association 미국 카이로프랙틱 협회

acceleration: 가속(운동속도의 순간적 변화)

accessory movements: 보조적 운동(생리학적 운동에서 유력화, 강력화 또는 손상의 보상을 위해 사용하는 운동)

accommodation: 조절

achilles tendon reflex: 아킬레스건 반사

acromioclavicular joint: 견쇄관절

acromion: 견봉

action potential: 활동 전위

activator technique: C 엑티베이터 테크닉

active exercise: 자동운동훈련

active motion/movement: 자동운동, 능동운동,
반 passive motion/movement: 타동운동, 수동운동

activities of daily living: 일상의 생활활동(동작)=ADL

acupuncture: 자침술(刺鍼術), 침(鍼)

acute: 급성의

acute cervical sprain: 급성경추염좌

acute hepatitis: 급성 간염

acute lateral sclerosis: 급성 측색 경화증

acute low back pain: 급성요통증

acute painful stiff neck: 급성경부통(목이 삔 증상)

adam's position: 아담 포지션

adaptation: 적응, 적용

Ⓒ 생체가 환경에 적합, 적응하는 것, 역학적 뒤틀림(변위)에 대한 신체의 대상반응.

adaptation level: 적응 수준

general adaptation syndrome: 전신성 적응증후[군]

local adaptation syndrome: 국소적응증후

ADD: atlantodental distance=ADI, 환추 치돌기 사이 거리

adduction: 내전, 반 abduction: 외전

adductor: 내전근

adequate reaction: Ⓒ 적성반응

▸척주 manipulation 이후에 나타날 수 있는 환자의 주관적 불쾌감, 치료 이후 6~12간까지 발생하며, 길어도 2일 이후에는 자연스럽게 완화된다.

adhesion: 유착

ADI: atlantodental interspace 《엑스레이 측면상에 의한 계측법》환추 치돌기 사이 거리

adjusting hand: contact hand 참조

adjusting table/bench: Ⓒ 치료 테이블

adjustive: Ⓒ 어져스트의>교정의

adjustive contact: (교정) 접촉

adjustive thrust: 교정 스러스트

adjustive vector: 교정 방향

adjustment: Ⓒ 어져스트먼트>교정>조정

▸통제된 힘, 장단의 지렛대 작용, 방향, 진폭, 속도에 의해 특정 부위 또는 해부학적 영역에 직접 작용시키는 카이로프랙틱의 독특한 수기치료. 다이나믹적인 스러스트가 특징.

adjuster: Ⓒ 어져스트를 하는 사람, 카이로프랙터(chiropractor)

ADL: activities of daily living의 약어

administration: 투여, 투약

admission: 입원

adrenal cortex: 부신피질

adrenaline: 아드레날린=Ad, Adr

affected side: C 환측(患側)

afferent: 구심성, 반 efferent: 원심성

age equivalent: 생리적 연령

agglutination: 응집반응, 응집작용

agenesis: 발육 부전

agonistic muscle: 주동근, 작동근

반 antagonistic muscle: 길항근

aldosterone: 알도스테론

alkalinity: 알칼리도

alignment: 배열

C 일직선으로 하는 것, 직선상으로 배열하는 것

allergy: 알레르기, 알러지

allopathy: 알로파시, 역증요법(逆症療法), 이증요법(異症療法), 대증요법

▸신체의 작용이 정상 범위에서 일탈한 경우 그것을 개선시키기 위해 역으로 대책을 실행해야 한다는 것. 예를 들면 변비에는 설사약을, 고열에는 해열제를 투여하는 치료법.

alternative: 대체(代替)

관 complementary medicine: 보완의료

예 alternative medicine=alternative health care: 대체의료

ambulatory: 보행의, 보행 가능의

amphiarthrodial joint: 반관절(半關節)

amphidiarthrodial joint: 접번활동관절(蝶番滑動關節)

amplitude: 진폭, 강도, 크기

analysis: 분석

psychoanalysis: 정신분석

spinal analysis: C 척주분석

analgesia: 통각 소실, 관 analgesic: 진통제

anatomical barrier: 해부학적 한계

anatomical position: 해부학적 자세, 또는 위치

anatomical short leg: C 해부학적 단하지(短下肢)
반 functional short Leg

anatomy: 해부학, 해부

anesthesia: 1) 감각 소실, 감각 탈실, 지각 소실, 지각 탈실
2) 마취법

angina pectoris: 협심증

angiotensin: 안기오텐신

angle, lumbosacral: 요선각(腰仙角)

angle of ferguson: 퍼거슨 각도
관 angle, lumbosacral: 요선각(腰仙角)

ankle: 족관절부, 발목

ankle jerk: 아킬레스건 반사

ankle joint: 족관절

ankylosis: 강직, 예 ankylosing spondylitis(AS): 강직성 척추염

annulus fibrosus: 선유륜(線維輪) (주의: 섬유가 아님)

anomaly: 기형, 이상(異常)
congenital anomaly: 선천성 이상, 선천성 기형
developmental anomaly: 발생 이상, 발육성 이상

antagonistic muscle: 길항근, 반 agonistic muscle: 주동근

antalgic: 동통 회피성, 예 antalgic position: 동통 회피 자세

anteflexion: 전굴(前屈), 반 retroflexion: 후굴(後屈)

anterior: 전방의

anterior cruciate ligament: 전십자인대=ACL
반 posterior cruciate ligament: 후십자인대

anterior fontanel: 대천문

anterior pelvic tilt: 골반 전경(骨盤前傾)

anterior pituitary: 하수체 전엽

anterior superior iliac spine: 상전장골극=ASIS

anterolisthesis: C 전방변위(정적 촉진 리스팅의 표현법 중의 하나), 전방척추분리증

▸–listhesis: 분리(접미어)

anteroposterior: 전후(前後)의

antigen–antibody reaction: 항원항체반응

antigravity position: C 항중력위, 항중력 체위

articulatory pop: 관절음(관절에서 발생하는 특유의 "툭" 소리)

aorta: 대동맥

appendectomy: 충수절제술=AP

appendicitis: 충수염

applied kinesiology: 응용근육학

applied spinal biomechanical engineering: 응용 척추 생체 역학 공학

apophyseal joint: 추간관절(주의: 골단관절이 아니다)

동 zygapophyseal joint, facet joint

arrhythmia absolute: 절대성 부정맥

art: C 아트>예술, (특수한) 기술

▸카이로프랙틱 이론을 실제로 응용하는 수단으로서 기술. 또한 학(學)에 대한 술(術)의 의미.

arterial blood pressure: 동맥 혈압

arthralgia: 관절통

arthritis: 관절염

arthrodysplasia: 관절 이형성(다양한 관절의 기형)

arthrogryposis multiplex congenita: 선천성 다발성 관절구축증

arthroneuralgia: 관절신경통
arthropathy: 관절상해, 관절증
arthrosis: 관절증
arthrosis deformans: 골관절증, 변형성 관절증
articular blockage: C 관절 블록, 관절 차단
articular cartilage: 관절 연골
articular (joint) cavity: 관절강(關節腔)
articular disk: 관절원판
articular locking: C 관절 고정, 관절감돈(關節嵌頓)
articular process: 관절돌기=AP
articular slack: C 관절의 여유를 제거한다.
관 tissue slack: 피부의 여유를 제거한다
articular strain: 관절의 좌상
articular surface: 관절면
articulating adjusting table: C 테이블
▸두부, 흉부, 골반, 다리의 4 부위에서 이루어지는 항중력 체위(體位)를 만들 수 있으며, 흉부가 튀어 오르는 쿠션이 있는 테이블.
articulation: 관절>연결, 관 zygapophyseals
artificial heart–lung: 인공심폐
ASIS: anterior superior iliac spine(상전장골극)의 약어, 반 PSIS
assessment: 평가
outcome assessment: 결과 평가
assisted method: C 지지법>보조법
관 resisted method: 저항법
associated myofascial trigger point: 관련 근막 트리거 포인트
asthmatic bronchitis: 천식성 기관지염
asthenia: 무력, 무력증
asymmetry: 비대칭, 반 symmetry: 대칭

ataxia: 운동 실조

atlantoaxial joint: 환축관절(주의: 환추축추관절이라고 하지 않는다)

atlantoaxial subluxation: 환축관절 아탈구

atlantodental distance: ADD 참조

atlantodental interspace: ADI 참조

atlantodental joint: 정중환축관절

atlanto-occipital joint: 환추후두관절(주의: 환추후두골관절이라고 하지 않는다)

atlanto-odontoid-interspace: 《엑스레이 측면상에 의한 계측법》 환추 치돌기 사이의 거리=ADI

atlas: 환추(제1 경추) (주의: 그림이라고 번역하지 않는다)

atlas orthogonality technique: 환추 오서거널리티 테크닉

atopic dermatitis: 아토피성 피부염

atrophy: 위축

atypical: 비전형의>이형(異型), 반 typical: 전형의

autonomic: 자율신경계

autonomic: imbalance: 자율신경실조(주의: 불평형이라고 번역하지 않는다)

autonomic hypertonic reflex: 자율신경 과긴장반사

axis: 축, 예 X Axis, Y Axis, Z Axis, Instantaneous axis: 순간 축

axis of rib motion: 늑골운동축

axis: 축추(제2 경추)

axon: 축삭

axonal flow: 축삭류(軸索流)=axoplasmic flow

axoplasmic flow: 축삭류(軸索流)=axonal flow

B

back: 등, 배부(背部)

back school: 요통 학교

backache: 요통, 배통(背痛)

ball-and-socket joint: 구관절(球關節)

ballottement of patella: 슬개도동(膝蓋跳動), 슬개골부구감

bamboo spine: 죽상 척주(竹狀脊柱)

barre'-lie'ou syndrome: 발레류 증후군

barrier: C 한계, 장벽, 관문, 장해, 장애, 베이리어

anatomical barrier: 해부학적 한계

elastic(physiologic) barrier: 탄성(생리학적) 한계

pathologic barrier: 병리학적 한계

basic pelvic distortion pattern: C 기본 골반 변형 패턴

basic science: 기초과학

관 clinical science: 임상의학

basic technic: C =logan basic technic 참조

basilar impression: 두개저 함몰증《엑스레이에서》=basilar invagination

basilar invagination: =basilar impression 참조

bench: C 밴치(테이블과 동의어)

bending: 굴곡, 예 side bending: 측굴

bifid spinous process: 이분극돌기(보통 C2, 3~6에 존재)

bilateral: 양방의, 양측의, 좌우의

bioenergetic synchronization technique: 생물 에너지 신크로나이제이션 테크닉

biomechanics: 생체역학(주의: 생체공학, 생물공학으로 번역하지 않는다)

biped: 두 발의, 이족(二足)의

blair technique: Ⓒ 블레어 테크닉

blind study: 이중맹검법

▸의학>약의 효과를 객관적으로 평가하는 방법. 진짜 약과 가짜 약을 피검자에게 무작위로 주고, 효과를 판정하는 의사에게도 진짜와 가짜를 알리지 않고 시험한다. 환자의 심리 효과, 의사의 선입관, 개체의 차이 따위를 배제하여 약의 효력을 판정하는 방법이다.

block vertebra: 괴상추(塊狀椎, 덩어리 모양의 척추)《엑스레이에서》

blockage: 블록>장해>폐쇄

예 articular blockage, Ⓒ 관절 블록

blood sugar: 혈당

blood type: 혈액형

blood vessel: 혈관

blood volume: 순환혈액량

body drop: Ⓒ 바디 드럽

▸어져스트먼트할 때, 체중을 위에서 밑으로 실어서 떨어뜨리는 동작.

body mechanics: 신체역학=body mechanisms

body mechanisms: body mechanics 참조

body temperature: 체온

bogginess: 보기네즈

▸액체 성분의 증가로 인한 울혈이 원인이라고 생각되는 이상(異常)한 조직 감각

bone: 뼈

bone marrow: 골수

bone marrow cell: 골수 세포

bone setter: 정골사(整骨師)

bowel motion: 배변(排便)=bowel movement

brace: 장구, 브레이스, 예 body brace: 체간 장구(體幹裝具)

brachial: 상완의

brachial plexus: 완신경총

brachialgia: 상지통(上肢痛)

brain tumor: 뇌종양

breast: 1) 가슴(胸), 2) 유방

funnel breast: 누두흉(漏斗胸, 오목 가슴)

breast bone: 흉골

bucket handle rib motion: Ⓒ 버킷 핸들 립 모션

▸흡기 시에 늑골이 올라가고, 흉곽의 횡경(橫經)이 증대하며, 호흡에 동반하여 하부 늑골이 움직임.

관 pump handle rib motion: 호흡 시의 상부 늑골의 움직임, 흡기에서 흉곽 전후가 증대.

bulging: 팽융, 돌출

▸호흡 시의 하부 늑골의 움직임

bursa: 활액포

bursitis: 활액포염

buttock: 둔부(臀部, 엉덩이)

C

calcaneal: 발뒤꿈치의, 종골의

calcaneus: 종골(踵骨), 발뒤꿈치

calcification: 석회화, 예 disc calcification: 추간판 석회화증

caliper rib movement: Ⓒ 칼리퍼 립 무브먼트

▸호기(呼氣, 숨을 내쉴 때) 시에 늑골이 전방으로 움직이며, 호흡을 동반하여 하부 늑골이 움직인다.

canal: 관(管)

spinal canal: 척주관

capsular ligament: 관절포인대

capsule: 캡슐, 포(包)

articular capsule: 관절포>관절낭

carbohydrate: 탄수화물, 당질

cardioangiography: 심장혈관조영=CAG

care: 케어, 치료

carpal bone: 수근골(手根骨)

carpal joint: 수관절

carpal tunnel syndrome: 수근관증후군

cartilage: 연골

cathode: 음극=kathode, 반 anode: 양극

cauda equina: 마비(馬尾)

cauda equina claudication: 마미성 파행(跛行)

cauda equina injury: 마미 손상

cauda equine syndrome: 마미증후군

caudad: C 족방에(주의: 미방으로 번역하지 않는다)

caudad hand: C 족방수(足方手)

반 cephalad: C 두방에

causalgia: 작열통

cavitation: C 공극화(空隙化) (주의: 공동화(空洞化)로 번역하지 않는다)

▸어저스트먼트가 관절 표면에서 급속한 분리를 유발하며, 관절내에 공극(空隙)이 발생한다. 그래서 국부적인 감압에 의해 관절 액체 내에서 기포가 형성→교정음이 발생한다.

cavity: 강(腔), 와(窩)

articular cavity: 관절강

joint cavity: 관절강

CCE: C council on chiropractic education: 미국 카이로프랙틱 교육 심의회

예 ACCE: australasia CCE, canadian CCE

CCJ: Ⓒ chiropractic council of japan: 일본 카이로프랙틱 평의회
center of gravity: 중심(重心)
  예 line of the center of gravity: 중심선(重心線)
central nervous system: 중추신경계
cephalad: Ⓒ 두방에
  반 caudad: Ⓒ 족방에
cephalad hand: Ⓒ 두방수(頭方手), 환자의 머리 방향에 있는 손
cerebral palsy: 뇌성마비=CP
cerebrospinal: 뇌척수의
cerebrospinal fluid: 뇌척수액
cerebrovascular accident: 뇌혈관장애
  관 cerebrovascular injury: 뇌혈관손상
cervical: 경추의
cervical chair: Ⓒ 경추 어저스트 전용의 의자
cervical myelopathy: 경수증(頸髓症)
cervical nerve: 경신경(頸神經)
cervical rib: 경늑(頸肋)
cervical rib syndrome: 경늑증후군
cervical spine: 경추
  lower cervical(spine): 하부 경추 C3–7(주의: 해부 용어에서 하위라고 번역하지 않는다)
  upper cervical(spine): 상부 경추 C1, 2(주의: 해부 용어에서 상위라고 번역하지 않는다)
cervical spondylosis: 경추증, 경부[변형성]척추증
cervical spondylotic amyotrophy: 경추증성 근위축증
cervical spondylotic myelopathy: 경추증성 척수증
cervical syndrome: 경추증후군
cervicobrachial syndrome: 경완증후근(頸腕症後群)

cervicogenic headache: 경추원성 두통(頸椎原性頭痛)

cervico-omo-brachial syndrome: 경견완증후군(頸肩腕症候群)

cesarean section: 제왕절개

chapman's reflex: 챠프만 반사

chemonucleolysis: 화학적 수핵 분해(髓核 分解) (추간판 질환의 치료법)

chest: 1) 가슴, 흉부, 2) 흉곽

chiroenergetics: C 카이로에너지틱스

chiropractic: C 카이로프랙틱(주의: 척주지압요법이라고 번역하지 않는다)

chiropractic neurobiochemical analysis: C 카이로프랙틱 신경성 화학분석

chiropractic office: C 카이로프랙틱 치료원

관 chiropractic clinic

chiropractic physician/clinician: 카이로프랙틱 임상가, 카이로프랙터

chiropractic practice: C 카이로프랙틱 업무(치료적 의미)

▸인체의 운동기계, 특히 척주와 골반의 정력학(靜力學)과 운동역학에 관련된 기능장애, 구조 이상, 동통증후군 및 신경생리작용의 면에서 병인, 진단, 치료, 예방을 실시하는 치료 기술의 한 분야.

chiropractic principle: C 카이로프랙틱 원리

chiropractic profession: C 카이로프랙틱 업계

관 medical profession: 의업(醫業), (profession이란 선언한다는 의미가 있다.)

관 professional: 전문가

chiropractic science: C 카이로프랙틱 과학(학문적 의미)

▸인체의 구조(척주, 골반)와 기능(신경계)의 관계를 중시하며, 건강의 회복, 유지를 도모하는 과학.

chiropractic spinal biophysics: C 카이로프랙틱 척주생체역학
chiropractic theory: C 카이로프랙틱 이론
chiropractor: C 카이로프랙터(주의: 척주지압요법사 등으로 번역하지 않는다), 카이로프랙틱을 실시하는 정규의 자격을 가진 자.
CHOK-E system: C CHOK-E 시스템
chronic: 만성의, 반 acute: 급성의
circumduction: 회전, 순환운동
circumduction of the trunk: 체간의 회전
claudication: 파행(跛行)
  cauda equina claudication: 마미성 파행
  intermittent claudication: 간결파행
clavicle: 쇄골
cleft palate: 구개열
clicking: 클리킹, 딸깍 등의 소리
clinical evaluation: 임상 평가
clinical finding: 임상 소견
clinical laboratory test: 임상 검사
clinical practice: 임상 업무, 임상의 장(場)
clinician: 임상의, 임상학자, 임상가
clockwise: 시계방향 회전=CW
  반 counterclockwise(CCW): 반시계 방향 회전
close-packed-position: 클로스 팩 포지션
  C 관절이 딱딱하게 굳어진 상태
  반 loose-packed-position: C 관절이 자유롭게 움직이는 상태.
closed wedge: C 클로스드 웻지, 비녀장(쐐기)이 닫아진 쪽
CNS: central nervous system의 약어
cobb method: 코브법《엑스레이에서 계측》
coccygodynia: 미골통, 꼬리뼈 통증

coccyx: 미골

cochlear joint: 나선관절(螺旋關節)

collapse: 1) 허탈(虛脫), 2) 압궤(壓潰)

collar: 카라

cervical collar: 경추 카라(경추 고정)

combination move: 복합 운동

communicable disease: 전염병

compartment: 구획, 구분

compensation: 대상(代償) > 보상(補償)

compensatory mechanism: 대상작용

competence: 능력, 적성

competency: 능력, 적성

complementary medicine: 보완의료(보완의학) > 보조의료(보조의학) 관 alternative medicine

complication: 합병증

irreversible complication: C 불가역성 합병증

reversible complication: C 가역성 합병증

composite joint: 복관절(複關節)

compound joint: 복관절(複關節)

compress: 습포

compression fracture: 압박골절

computerized tomography: 컴퓨터 단층촬영[법], CT 스캔=CT

concentric muscle activity: 구심성 근육운동

concept technique: C 컨셉 테크닉

conceptual skill: 사고 기술(思考技術), (주의: conceptual이란 개념의 의미)

concomitant: 수반(隨伴)

concussion: 진탕(震盪)

예 concussion of the brain: 뇌진탕

conditioned reflex: 조건반사

conditioned response: 조건반응

congenital anomaly: 선천이상, 선천기형

congenital dislocation of the hip: 선천성 고관절 탈구

congenital scoliosis: 선천성측만(증)

congestion: 울혈(鬱血)

connective tissue: 결합조직

consciousness: 의식, 지각

conservative care: conservative therapy를 참조

conservative therapy: 보존요법>비관혈요법(非觀血療法), (주의: 보수적이라고 번역하지 않는다)

반 bloody treatment: 관혈적 요법

consultation: 진찰, 상담

surgical consultation: 외과적 진찰

contact hand: C 컨택트 핸드, 직접수(주의: 접촉수로 번역하지 않는다), 어져스트먼트를 실시하는 손

반 indifferent hand: C 간접수

contact point: C 컨택트 포인트, 접촉점, 직접으로 접촉하는 닥터의 손의 부위.

관 segmental contact point는 접촉되는 환자의 부위

piriformis contact: 두상골 접촉

hypothenar contact: 소지구 접촉

metacarpal contact: 중수골 접촉

phalangeo–metacarpal contact: 지절골중수골 접촉

distal–interphalangeal contact: 원위지절간 접촉

digital contact: 지두 접촉(指頭 接觸)

proximal–interphalangeal contact: 근위지절간 접촉

index contact: 검지 접촉

web contact: 모지-검지간 접촉

thumb contact: 모지 접촉

thenar contact: 모지구 접촉

calcaneal contact: 수근부 접촉

palmer contact: 손바닥 접촉

그 외의 관 knife edge contact, nail point contact

contraction: 수축

concentric contraction: 구심성 수축

eccentric contraction: 원심성 수축

isokinetic contraction: 등운동성 수축(等運動性 收縮)

isometric contraction: 등척성 수축

isotonic contraction: 등장성 수축

voluntary contraction: 수의(隨意) 수축

contracture: 구축(拘縮)

contractured muscle: 근구축

contraindication: 금기, 반 indication

contralateral: C 반대측의, 대측(=opposite side)

반 ipsilateral/homolateral: 동측의

controlled clinical trial: 대조, (임상) 시험

contusion: 좌상, 타박상

conventional medicine: 정통의학

반 unconventional medicine: 비정통의학

convergence: 수속(收束, 모아서 한데 묶음), 폭주(輻輳)

반 divergence: 발산, 분기(分岐)

convergence reaction: 폭주(輻輳) 반응

coordinate system: 좌표 시스템(X, Y, Z축에 의한 것)

corkscrew motion: C 퀄크 마개를 여는 듯한 나선상의 움직임.

correction: 교정

corset: 콜셋, 예 lumbosacral corset: 요선추 콜셋

cortex: 피질

cost effectiveness: 비용 효과

costalgia: 늑골통

costoclavicular syndrome: 늑쇄증후근(주의: 늑골쇄골증후군이라고 번역하지 않는다)

costotransverse joint: 늑횡돌관절

costovertebral joint: 늑추관절

council on chiropractic education: CCE 참조

counter rotation: C 역회전(주의: 반대라고 번역하지 않는다)

counter thrust: C 카운터 스러스트

coupled motion: 연합운동(주의: 공동운동, 복합운동이라고 번역하지 않는다)
=coupling

coupling: coupled motion 참조

cox technique: C 콕스 테크닉

coxa valga: 외반고(外反股)

coxalgia: 고관절통

CP: cerebral palsy의 약어

crack: C 툭, 탕의 소리

cracking noise: C 어져스트먼트 이후의 툭 하는 파열음

cramp: 경련, 동 spasm
동 charley horse: 팔, 다리의 경직, 쥐

cranial: C 두개골의, 크라니얼(두개선골치료법)

cranial rhythmic impulse: 두개 주기적 임펄스

craniopathy: C 두개골 장애, 두개골증

craniosacral mechanism: 뇌선수(腦仙髓) 메커니즘(뇌척수경막에

의한 후두부와 선골이 해부학적으로 결합하고 있는 것을 가리킴. William G. Sutherland DO가 사용했으며 이 의미 이외에서는 사용하지 않는다.)

creep: 크리프

▸점탄성 물질이 갑자기 일정한 부하에 직면했을 때, 시간의 흐름과 함께 발생하는 변형.

creep deformity: 크리프 변형

crepitation: 염발음, 관절 마찰음, 알력음(軋轢音)=crepitus

crutch: 목발

CT: computerized tomography의 약어

cure: 회복, 치유, 치료

관 care: 캐어, 간호

관 healing

curvature: (비정상적인) 만곡

curve: 만곡 ▸시상면에서 정상적인 생리적 만곡

관 curvature

D

D.C.: C doctor of chiropractic의 약어

debate: 토론, 토론하다. 관 discuss: 논의하다

decision making: 의사결정

decompensation: 대상 부전(호메오스타시스의 메커니즘이 부분적 또는 전체적으로 압박되었을 때 발생하는 계속적인 기능 장해의 패턴으로 회복되는 경우도 있음)

decomposition: 분해

deduction: 연역법, 반 induction: 귀납법

deep reflex: 심부 반사

deformity: 변형=deformation

degeneration: 변성, 퇴화

disc degeneration: 추간판 변성

degenerative change: 퇴행(성) 변화

degenerative intervertebral disk: 추간판 변성(증)

degenerative joint disease: 변형성 관절질환=DJD

degree of freedom: 자유도, 예 6 degrees of freedom

▸공간이 있는 대칭의 위치를 정확하게 특정하는데 필요한 코디네이트 시스템에서 독립된 좌표 축의 수. 자유도 1은 한 개의 축을 도는 회전운동, 또는 한 개의 축을 따라 하는 이동운동이다. 척추는 3개의 축을 중심으로 한 회전운동과 이들 3개의 축을 따라 평행이동을 실시하기 때문에 자유도 6으로 본다.

dendrite: 수상돌기

dens: 치돌기

density: 농도, 밀도

dental process: 치돌기

depression: 1) 억울, 우울, 2) 함몰, 3) 인하=melancholia

nervous depression: 신경쇠약

masked depression: 가면 우울증

derangement: C 배열의 혼란

deviation: 1) 편위, 변위, 2) 굴곡

diabetes mellitus: 당뇨병

diagnosis: 진단

diameter: 직경

diarrhea: 설사, 반 constipation: 변비

diaphragm: 횡격막

diarthrosis: 가동 관절=movable joint, 활막(성) 관절=synovial joint

diastolic blood pressure: 확장기 혈압, 반 systolic blood pressure: 수축기 혈압

diathermy: (고주파 전류를 이용하는) 투열 요법, 그 장치

diet: 식이, 식이요법

digestive energy: 소화 에너지

digit: 손가락 끝, 지첨(指尖), 지두(指頭)=finger tip

digital: 지두(指頭)의, 지첨(指尖)의

digital contact: C 지두 접촉, 손가락 끝 접촉

direct current: 직류, 반 alternating current: 교류

direction nonforce technique: C 다이렉션 논포스 테크닉

disability: 장애, 무력, 불리한 조건, 능력 저하

disarrangement: C 배열의 혼란

disc/disk: 1) 원판, 2) 관절원판, 3) 추간원판, 추간판

  disc bulge: 추간판 팽융

  [intervertebral]disc herniation: 추간판 헤르니에이션(탈출)

disc prolapse: 추간판 탈출

disc protrusion: 추간판 돌출(섬유륜은 단열되지 않음/팽융이라고 번역하는 경우도 있다)

disc space: 추간판강(椎間板腔)

discharge: 1) 방전, 발사, 2) 분비, 분비물, 3) 퇴원

discitis: 추간판염

discogenic: 추간판원성(椎間板原性)의

discopathogenic: 추간판 병원성의, 추간판 병증의

discopathy: 추간판증, 추간판병

disease: 질병, 질환, 병

dislocation: 탈구=luxation

disorder: 장애>부조(不調)

  예 movement disorder: 운동장애

displacement: C 변위, 전위

dis relationship: 상관관계가 없다, ~분리

distal: 원위의, 반 proximal: 근위의

distal interphalangeal contact: C 원위 지절간 접촉

distortion: 변형, C 뒤틀림

basic pelvic distortion pattern: C 골반 변형 패턴

distraction: 신연(伸延), 늘려 펴짐, 관 traction

C 2개의 표면이 벌어져가는 움직임

disturbance: 장애, 질환

diversified technique: C 디버시파이드 테크닉

doctor: 닥터(주의: 카이로프랙터를 의미하는 경우는 의사(MD)로 번역하지 않는다)

doctor of chiropractic = D.C.

doctor's position: C 닥터의 위치, 관 patient position

donor: 1) 제공자, 2) 공급혈자(供給血者)

dorsal: 1) 배측(背側)의, 배면(背面)의, 등의 2) 흉수(胸髓), 흉추

dorsal flexion: 배굴(背屈)

dorsal〔nerve〕root of spinal nerve: 척수신경의 후근

dorsal root ganglion: 후근신경절 = DRG

dorsal spine: 1) 척주, 2) 흉추

dorsiflexion: 배굴(背屈)

dorsoventral: 배복(背腹)의, 신체의 등 및 표면의

drug: 약, 약물, 예 drug dependence: 약물 의존

dull pain: 둔통(鈍痛)

dura: 경막, 예 dura mater: 경막, epidural space: 경막외강

dynamics: 다이나믹스, 역학

dysarthrosis: 관절 이상(關節異常), 관절 기형

dysbasia: 보행장애, 걸음장애

dysesthesia: 감각 이상(感覺異常)

dysfunction: 기능 장애>기능 이상(malfunction), (주의: 기능 부

전으로 번역하지 않는다)

dysgenesis: 발육이상증(發育異常症)

dyskinesia: 운동 이상

dysostosis: 이골증(異骨症)

dysplasia: 이형성증, 형성 이상

dystress: 나쁜 스트레스, 반 eustress: 좋은 스트레스

dystrophy: 이영양증(異榮養症)

E

eccentric contraction: 원심성 수축

반 concentric contraction: 구심성 수축

eccentric muscle activity: 원심성 근육운동

ECG: 심전도, electrocardiography의 약어

echography: 초음파 화상검사법

eczema: 습진

edema: 부종, 수종(水腫)

EEG: electroencephalography의 약어

efferent: 원심성, 반 afferent: 구심성

effleurage: (마사지의) 경찰법(輕擦法)

관 stroking

elastic deformation: 탄성 변형

반 plastic deformation: 소성(塑性) 변형

elasticity: 탄성

elbow: 팔, 주(肘)

elbow joint: 주관절

electrocardiography: 심전도=ECG

electroencephalography: 뇌파, 뇌파도=EEG

electromyography: 근전도=EMG

electroshock: 전기 쇼크

elevation: 거상(擧上), 올리기

EMG: 근전도, electromyography의 약어

end feel: C 엔드 필, 한계감(限界感)=end play

▸수의근의 운동에서 독립된 관절 각각의 소범위 운동으로, 수동적 가동 영역의 한계에서 각 척추의 가동성을 검사한다.

end plate: (추체의) 종판

end play: C 엔드 플레이=end feel

endonasal technique: C 비내(鼻內) 테크닉

endorphin: 엔도르핀

endoscope: 내시경

entrapment: 교액성(絞扼性)

entrapment neuropathy: 교액성 신경장애

entrapment syndrome: 교액성 증후군

epicondylitis: [상완골] 외측상과염

epidemiology: 역학(疫學)

epiglottis: 후두개

epilepsy: 간질

epiphyseal plate: 골단판, 골단연골판

epiphysis: 골단(骨端)

equilibrium: 신체 평형

erythrocyte: 적혈구

eosinophil: 호산구

esophagus: 식도

eukinesia: 운동 정상, 관 dyskinesia: 운동 이상

eustress: 좋은 스트레스, 반 dystress: 나쁜 스트레스

evaluation: 평가

evaporation: 증발

eversion: 외반(外反), 외번 반 inversion: 내반(內反), 내번

exacerbation: 악화, 증악(增惡)

exaggeration: 강조, 과장

examination: 검사

exceeding reaction: C 과잉 반응

▸척추 마니퓰레이션 이후에 나타나는 경우가 있다. 환자의 기성 상태의 객관적 악화와 거기에 동반한 작업 능력의 저하. 6~12시간 이내의 출현과 2일을 넘는 경우가 있는 자연 완화가 특징.

excoriation: 찰과상, 베인 상처

excursion: (관절의) 가동역

exercise: 1) 연습, 훈련, 2) 체조

active exercise: 자동운동훈련

muscle exercise: 근훈련

muscle stretching exercise: 근육증강훈련, 근력강화훈련

passive exercise: 타동운동훈련

stretching exercise: 스트레칭 체조

therapeutic exercise: 운동요법, 치료 체조

exercise index: 운동지수

exhalation rib: 호기(呼氣) 늑골

extension: 1) 신전, 2) 견인, 반 flexion

extension lesion of the sacrum: 선골신전병변

extension malposition: C 신전변위

▸스태틱 리스팅 표현법의 하나.

extension restriction: C 신전 제한

▸다이나믹 리스팅 표현법의 하나.

external rotation: 외회전(주의: 외측의 회전이라고 번역하지 않는다)

반 internal rotation: 내회전

extract: 엑기스, 추출물

extraspinal/extravertebral: 척주외(脊柱外)

extravertebral technique: C 척추외 테크닉, 사지(四肢) 테크닉

extremity: 체지(體肢), 지(肢), (주의: 다리라고 번역하지 않는다)

lower extremity: 하지(下肢)

upper extremity: 상지(上肢)

extruded disk: 추간판 탈출

F

facet: 1) 추간관절, 2) 소관절, 소관절면

facet asymmetry: 추간관절 비대칭

facet interlocking: 추간관절 감돈(嵌頓)

Cf) 감돈(嵌頓): 장이나 자궁 같은 복부의 여러 기관이, 병적으로 생긴 틈으로 빠져 나와, 본래의 위치로 돌아가지 못하는 상태.

facet joint: 추간관절 = facet

= zygapophyseal joint: 추간관절

facet syndrome: 추간관절증후군

facilitation: 촉진, 조장, 촉통(促通), 반 inhibitation: 억제

▸구심성 자극이 증가하면 시냅스 역치에 도달하기 쉬워지는 것. 그것으로 그 경로나 시냅스의 후속 임펄스(Impulse)의 효력이 높아지며, 지속적인 자극에 의해 비정상적으로 활발하게 반응을 일으킨다.

family history: 가족력

family practice: 가정의료

family practitioner: 가정의(家庭醫), 관 family doctor

fascia: 근막

fascial patterns: 근막 패턴(전신의 임의적 방향으로 이루어지는 근막 운동을 부위의 대상성 변화와의 관계를 통해 분류할 수 있다는 분류 기록 체계)

fasciitis: 근막염

fasting: 단식, 절식, 관 diet: 식이(食餌)

FCER: C foundation for chiropractic education and research

FDA: C 카이로프랙틱 교육연구재단

food & drug administration: [미국] 식품의약품국

femur: 1) 대퇴골, 2) 대퇴

fencer stance: C 펜서 스탠스

▸펜싱 스타일에서 서는 방법

ferguson's line: 퍼거슨 라인《엑스레이에서》

fetal: 태아의

fiber: 선유(線維), (주의: 섬유로 번역하지 않는다)

fibrillation: 선유 연축(線維攣縮), 선유자발수축

fibrinogen: 피부리노겐

fibrosis: 선유화, 선유증

fibrositis: 결합직염

filtration rate: 여과율

filum terminale syndrome: 척수종사증후군

findings: 소견, 예 X-ray finding: 엑스레이 소견

finger: 손가락

index finger: 검지

little finger: 소지

middle finger: 중지

ring finger: 약지, 환지

finger tip: 손가락 끝, 지첨(指尖), 지두(指頭)=digit

fish vertebra: 어추(魚椎)

fixation: C 픽세이션

▸근, 인대, 관절 등의 고정화 의미. 의학에서는 고정

joint fixation: C 관절 픽세이션

▸관절이 일시적으로 가동성을 잃어버린 상태로, 관절운동의 어느 단계에서

발생한다.

[관] dynamic fault

fixation subluxation: [C] 근 스파즘, 인대의 단축, 또는 관절 내의 블록킹에 의해 관절운동을 잃어버린 것.

flat palpation: [C] 평면 촉진

[관] screening palpation: 스크린 촉진/pincer palpation: 집게 촉진,

flat vertebra: 편평추《엑스레이에서》

[관] fish vertebra: 어추(魚椎)《엑스레이에서》

flexed position: 굴곡위

flexibility: 유연성

flexion: 1) 굴곡, 1) 전굴(前屈)

flexion distraction therapy: [C] 굴곡 신연(屈曲伸延)

flexion malposition: [C] 굴곡변위

▸스태틱 리스팅 표현법의 하나.

flexion restriction: [C] 측굴 제한

▸다이나믹 리스팅 표현법의 하나.

flexor: 굴근

folk medicine: 민간의료=an old wives' remedy

[관] orthodox medicine: 정통의료

foot: 발

foramen: 공(孔), 구멍, 배공

intervertebral foramen: 추간공

vertebral foramen: 추공

forearm: 전완(前腕)

foreign body: 이물질

foundation: 지지구조

fracture: 골절

compression fracture: 압박 골절

freeman chiropractic procedure: Ⓒ 프리먼 카이로프랙틱 법

freezing point: 빙점

friction massage: 강찰 마사지, 마찰 마사지, 관 effleurage: 경찰(輕擦)

fringe medicine: 주변 의료, 외변 의료
  관 alternative medicine: 대체의료

frontal: 전부의 정면의, 전면의, 전두의

frozen shoulder: 오십견, 견관절주위염, 동결견(凍結肩)

fulcrum: 지점(支点), 관 lever: 지렛대, 지레

full spinal X-ray: 전체 척추 엑스레이 사진

full spine: Ⓒ 풀 스파인, 전체 척추
  ▸척추 전체를 하나의 필름에 전후상으로 하여 촬영한 독자적인 촬영법.

functional: 기능적인, 관 organic: 기질적인
  functional short leg: 기능적 단하지
  functional spinal lesion: 기능적 척추장애
  functional spinal unit: 척주 기능단위

funnel breast: 누두흉(漏斗胸)

funnel chest: 누두흉(漏斗胸)

fusiform: 방추상의

fusion: 1) 고정, 2) 유합(癒合), 융합
  facet fusion: 추간관절 고정(술)
  spinal fusion: 척추 고정(술)

G

gait: 보행
  heel gait: 종보행(踵步行), 발뒤꿈치 보행
  toe gait: 발가락 끝 보행

gait disturbance: 보행장애

ganglion: 1) 강글리온, 2) 근신경절

cervical ganglion: 경신경절

cervicothoracic ganglion: 경흉신경절

dorsal root ganglion: 후근신경절,

관 dorsal root of spinal nerve: 후근

lumbar ganglion: 요신경절

spinal ganglion: 척수신경절

gastroduodenal ulcer: 위십이지장 궤양

gastrointestinal tract: 소화관

gate control theory: 통증 관문 조절이론

general adaptation syndrome: 전신적응증후군

▸general: 종합

반 local adaptation syndrome: 국소적응증후군

▸alarm reaction: 경고반응, stage of resistance: 저항기, stage of exhaustion: 피로기의 3단계가 있다.

general adjustment: C 져너럴 어져스트먼트

반 specific adjustment: 스페시픽 어져스트먼트

general anesthesia: 전신 마취=GA

general medical services: 일반 의료=GMS

general operating room: 일반 수술실=GOR

general technic: C 져너럴 테크닉

genetics: 유전학

genu: 무릎, 슬(膝)=knee

george's line: 죠지 라인《엑스레이에서》

gerontology: 노인학, 관 **geriatrics**: 노인의학

gibbous: 돌배(突背), 곱사등의

glaucoma: 녹내장

glenohumeral joint: 견갑상완관절

gliding: 전위, 미끄러짐(주의: 전위증이 아니다)
gluteal fold: 둔부(臀部) 주름
gluteal line: 둔근선(臀筋線)
gonalgia: 슬관절통, 무릎통증
goniometer: 각도계
gonitis: 슬관절염, 무릎관절염
gonstead technique: C 간스테드 테크닉
gout: 통풍
gravidity: 임신
gravitational line: 중력선=plumb line of gravity
gravity: 중력
grip strength: 악력(握力)
grostic technique: C 그로스틱 테크닉
group therapy: 집단 요법=GT
growing pain: 성장통
growth: 성장
guiding: 유도(술자가 보통의 한계 내에서 가장 저항이 적은 경로를 따라 신체 부분을 움직이는 것)

H

habit(ual) scoliosis: 습관성 측만
habitus: 1) 체형, 2) 체질
habituation: 관화(慣化, 반사 자극에 대한 반응성의 감소)
hacking: (마사지의) 구타법
haemolysis: 용혈
hallucination: 환각
hallux valgus: 외반모지
hamstring: 햄스트링, 대퇴부의 슬관절 굴곡근

hand: 손

headache: 두통

healer: 의사, 치료자

healing: 힐링, 치유

관 cure: 회복, 치유, 치료

healing ability: 치유능력 관 healing power: 치유력

health: 헬스, 건강

▸건강, 단지 질병이나 허약하지 않을 뿐만 아니라, 신체적, 정신적, 사회적으로도 최적의 상태인 것을 말한다.

health administration: 건강관리, 위생행정, 보건관리

health care: 헬스 캐어, 건강관리, 보건

관 medical care: 의료

health care consultation: 건강상담

health care cost: 의료비

health care delivery system: 건강관리 공급 시스템

health care provider: 건강관리 공급자

health center: 보건소

heart rate: 심박수

heel gait: 종보행(踵步行), 발뒤꿈치 보행

hemiplegia: 편마비

hemivertebra: 반추(半椎)

hemodialysis: 혈액 투석

hemorrhoid: 치질

hemorrhage: 출혈

hepatic vein: 간정맥

hernia: 헤르니아, 헤르니에이션

herniated intervertebral disk: 추간판 헤르니아

herniated nucleus pulposus: 수핵 헤르니아

herniation: 헤르니아, 헤르니에이션(형성)

hinge joint: 접번관절

HIO: C hole in one의 약어

hip: 고관절, 고관절 부위

hip bone: 관골

hip joint: 고관절

history taking: 병력 청취

hole in one: C 홀 인 원=HIO

holism: 전체론, 전기성(全機性)

holistic: 홀리스틱, 전체론의, 전체론적인, 전체관적인, 전인적인

예 holistic approach: 홀리스틱 어프러치, 전체론적인 접근,

home care: 가족 치료

homeopathy: 호메오파시, 동독요법, 동종요법,

반 allopathy: 알로파시, 역증요법, 이종요법

▸Hahnemann은 예전부터 존재한 열상(熱傷)에는 열, 설사에는 설사약처럼 장애와 동류의 현상을 사용해서 질병을 개선시켜왔던 치료법을 체계화하여 생체의 병적 반응과 동일한 반응을 일으키는 약물을 발견했다. 그는 이 약물을 극도로 희석시킨 농도로 치료에 사용했다.

homeostasis: 호메오스타시스(생체 항상성)

1) 생체 내부를 평형상태, 평상상태로 유지하는 작용

2) 체내 환경에 따라 유지된 개인의 양호하고 편안한 레벨

3) 체내 환경의 생리적 조화로 유지된 개인의 양호하고 편안한 레벨

homolateral: 동측의=ispilateral

반 contralateral: 반대측의

homolateral side: C 동위측(同位側)

hot pack: 핫 팩

humerus: 상완골

humerus varus: 상완 내번, 상완내번증

hydraulic table: Ⓒ 유압식으로 작동하는 카이로프랙틱 테이블

hypalgia, hypoalgesia: 통각 저하, 통각 저하증

반 hyperalgia, hyperalgesia: 통각 과민

hyper: 과잉의

예 hypertension: 고혈압, 과도한 긴장

hyperabduction syndrome: 과외전증후군

hyperabduction test: 과외전 테스트

hyperalgia, hyperalgesia: 통각 과민

반 hypalgia, hyperalgesia: 통각 저하, 통각 저하증

hyperemia: 충혈

hyperesthesia: 지각 과민

반 hypoesthesia: 감각 저하, 지각 저하

hyperextension: 과신전

hyperextension syndrome: 과신전증후군

hyperflexibility: 과도 유연성

hyperflexion injury: 과도 굴곡장애

hyperkinesia: 운동 과잉, 반 hypokinesia: 운동 저하

hyperlordosis: 하이퍼로도시스, 전만 과잉>전만 증가

반 hypolordosis: 전만 감소

hypermobile: hypermobility를 참조

hypermobility: 하이퍼모빌리티, 가동성 항진>과도 가동성=hypermobile

반 hypomobility: 가동성 감소

hyperreflexia: 반사 항진

hypertension: 고혈압, 반 hypotension

hypertonia: (근) 긴장 항진

반 hypotonia: (근) 긴장 저하

hypertonic: 하이퍼토닉/근의 과긴장, tonus 과잉=hypertonicity

hypertonicity: hypertonic을 참조

hypesthesia: 지각 저하(증), 지각 감퇴, 반 hyperesthesia: 지각 과민

hypo: 감소의, 예 hypotension: 저혈압

hypoesthesia: 지각 저하, 촉각 감퇴

hypokinesia: 운동 저하, 반 hyperkinesia: 운동 과잉

hypolordosis: 하이포로도시스, 전만 감소
반 hyperlordosis: 전만 과잉

hypomobility: 가동성 감소, 반 hypermobility: 가동성 항진

hypophysis: 뇌하수체

hypoplasia: 형성 부전, 반 hyperplasia: 과형성

hypostosis: 골발육부전, 골발육부전증, 뼈 발생저하

hypothesis: 가설

hypothenar contact: C 소지구 접촉
관 thenar contact: C 모지구 접촉

hypotonia: (근) 긴장 저하
반 hypertonia: (근) 긴장 항진

hypotonic: 하이포토닉/근의 긴장 저하, tonus 감소=hypotonicity

hysteria: 히스테리

I

IAR: instantaneous axis of rotation의 약어

iatrogenic: 의원성(醫原性)의

iatrogenic disease: 의원성 질병, 의원병(醫原病)

ICA: C international chiropractor's association: 국제 카이로프랙터 협회

ice pack: 아이스 팩, 얼음 팩

idiopathic: 특발성의

idiopathic scoliosis: 특발성 척주측만(증)

IH: indifferent hand의 약어

ileum: 회장

iliac crest: 장골능

iliolumbar ligament: 장요인대

Ilium: 장골

illusion: 환각

imbalance: 불균형, 관 unbalance: 불균형

immobilization/immobility: 가동성이 없는, 고정, 부동(不動)

반 mobilization: 가동성

immune response: 면역반응

immunity: 면역성

immunology: 면역학

immunodeficiency: 면역 부전

immunodeficiency syndrome: 면역부전증후군

impairment: 손상, 기능장애

impinge: 침해, 압박

impingement: 충돌

nerve impingement: C 신경 압박

impulse: C 임펄스, 스러스트와 동의어(주의: 순간역(瞬間力)으로 번역하지 않는다)

예 C impulse thrust: 임펄스 스러스트

incidence: 발생률, 발병률

index: 1) 검지, 2) 지수(指數), C 검지 접촉

index finger: 검지

indication: 적응, 적용 반 contraindication: 금기, 비적응, 비적용

indifferent hand: C 간접수(=support hand, stabilization hand) =IH

반 contact hand: 직접수

induction: 귀납법, 반 deduction: 연역법

induration: 경결, 경화

infection: 감염

inferior: 하방, 하위, 밑, 아래

inflammation: 염증

influenza: 인플루엔자

infrared ray: 적외선

infrared treatment: 적외선 요법, 관 ultraviolet ray: 자외선

inguinal: 서혜부의

inhalation rib: 흡기 늑골

inhibition: 억제, 반 facilitation: 촉통, 촉진

inhibition reflex: 억제반사

1. 오스테오파시의 용법으로 완화효과를 일으켜 반사 기능을 정상화하기 위해 연부조직에 규칙적인 압력을 가하는 것.
2. 작동근이 자극을 받았을 때 상반신경지배에 의해 길항적으로 미치는 영향.

injection: 주사, 주입

injury: 손상

whiplash injury 편타성 상해

innate: 생득(生得)의, 선천적, 유전적인

innate intelligence: C 선천적 지능

▸자연치유력에 해당하는 말. 건강한 생물에 본래 구비되어 있는 내외의 환경조건의 변화에 생리적으로 반응하는 생물학적 능력.

관 universal intelligence: 절대적 지능

innervation: 신경 지배

innominate: 관골(주의: 무명골이라고 번역하지 않는다)

inpatient: 입원 환자

insertion of the muscle: 근의 정지(부착부)

반 origin of the muscle: 근의 기시

instability: 불안정성

spinal instability: 척추불안정성[증]

instantaneous axis of rotation: 순간 회전축=center of motion=IAR

instrumentation: 기구, 기구 사용, 관 tool: 도구

integrity: 통합성

intensity: 강도(强度)

intercostal neuralgia: 늑간신경총

interdisciplinary: 학제간인(여러 학문 분야가 관련된)

interlocking: =articular locking을 참조

intermediate contact: C CH, IH와는 달리 대퇴, 무릎, 팔 등의 접촉

intermetacarpal joint: 중수지절관절

intermittent claudication: 간결파행

internal medicine: 내과, 내과학, (내과의는 internist)

internal rotation: 내회전(주의: 내측회전으로 번역하지 않는다)

반 external rotation: 외회전

intersegmental motion: 분절간 운동

intervertebral disk: 추간판

intervertebral disk space: 추간강

intervertebral foramen: 추간공=IVF

관 vertebral foramen: 추공

intracerebral hemorrhage: 뇌내출혈

intradiscal pressure: 추간판 내압

intraocular pressure: 안압

intraspinal: 척주관내, 척추관내

intrauterine device: 자궁내 피임기구

inversion: 내반(內反), 내번

ipsilateral: 동측=homolateral

investigation: 검사>조사

irreversible complication: C 불가역성 합병증

▸척추 마니퓰레이션 이후에 나타나는 극히 희박한 합병증. 마니퓰레이션에 의해 초래되는 불가역성 조직 손상과 그것에 동반하는 환자의 능력 상실이 발생한다. 치료 직후의 발증 또는 2일 이내의 잠행과 발증이 특징.

irritability: (자극에) 과민, 흥분성

irritation: 자극

ischemia: 조혈(阻血), 허혈

ischemic: 허혈성

ischemic compression: 허혈성 압박

ischemic contracture: 조혈성(阻血性) 구축

ischial: 좌골의

ischial tuberosity: 좌골결절(주의: 조면이라고 번역하지 않는다)

예 sacral tuberosity: 선골조면

tuberosity of tibia: 경골조면

ischialgia: 좌골신경통=sciatica

ischium: 좌골

isokinetic contraction: 등운동성(等運動性) 수축

isokinetic exercise: 등운동성 훈련, 등속 훈련

isometric: 등척성

isometric contraction: 등척성 수축

isometric exercise: 등척성 근운동, 등척성 운동

isotonic: 등장성(等張性)

isotonic contraction: 등장성 수축

isotonic exercise: 등장력성 근운동, 등장성 운동훈련

issue: 과제, 논점

IVF: intervertebral foramen의 약어

J

jamming: 방해

joint: 관절

- acromioclavicular joint: 견쇄관절
- amphiarthrodial joint: 반관절(半關節)
- amphidiarthrodial joint: 접번활동관절(蝶番滑動關節)
- ankle joint: 족관절
- apophyseal joint: 추간관절
- atlantoaxial joint: 환축관절
- atlantodental joint: 정중환축관절, 환추치돌기관절
- atlanto-occipital joint: 환추후두관절
- biaxial joint: 이축관절(二軸關節)
- bilocular joint: 이와관절(二窩關節)
- carpal joint: 수관절, 손목관절
- carpometacarpal joint: 수근중수관절
- cochlear joint: 나선관절
- composite joint: 복관절(複關節)
- compound joint: 복관절(複關節)
- condyloid joint: 과상관절(顆狀關節)
- costocentral joint: 늑골두관절
- costotransverse joint: 늑횡돌관절
- costovertebral joint: 늑추관절
- distal interphalangeal joint: 원위지절간관절
- elbow joint: 주관절(肘關節), 팔꿈치관절
- ellipsoidal joint: 타원관절(楕圓關節)
- facet joint: 추간관절
- glenohumeral joint: 견갑상완관절
- hinge joint: 접번관절

hip joint: 고관절
immovable joint: 부동관절(不動關節)
intercarpal joint: 수근간관절
intermetacarpal joint: 중수간관절
interphalangeal joint: 지절간관절
knee joint: 슬관절, 무릎관절
lateral atlantoaxial joint: 외측환축관절
loose joint: 동요관절(動搖關節)
median atlantoaxial joint: 정중환축관절
metacarpophalangeal joint: 중수지절간관절
pivot joint: 차축관절(車軸關節)
plane joint: 평면관절, 활동관절(滑動關節)
proximal interphalangeal joint: 근위지절간관절
saddle joint: 안관절(鞍關節)
shoulder[glenohumeral] joint: 견관절
simple joint: 단관절
spheroidal joint: 구관절(球關節)
sternoclaclavicular joint: 흉쇄관절
sternocostal joint: 흉늑관절
synovial joint: 활막(성)관절, 가동관절
temporomandibular joint: 악관절, 턱관절
uncovertebral joint: 구추관절(鉤椎關節)
uniaxial joint: 일축관절(一軸關節)
unilocular joint: 일와관절(一窩關節)
wrist joint: 수관절, 손목관절

joint capsule: 관절포
joint cavity: 관절강
joint contracture: 관절구축

joint dysfunction: 관절기능장애

joint fluid: 관절액

joint laxity: 관절이완, 관절이완[증]

joint locking: 관절 로킹

joint mouse: 관절서(關節鼠): 관절 연골이나 뼈가 관절강 내에서 유리된 것.

joint mobility: 관절 가동성

joint play: C 관절의 여유(end feel의 항을 참조)

▸넓은 의미로는 타동운동에서 자동운동을 일으키는 것. 좁은 의미로는 타동운동의 한계상에서의 탄력성.

jump sign: 점프 사인

joint space: 관절 열극(關節裂隙), 관절틈

junction: 결합부

K

kathode: 음극=cathode, 반 anode: 양극

kinematic radiography: 동태(動態) 엑스레이 촬영

kinematics: 운동학>운동역학

kinesiology: 운동학. 키네시오로지, 동작학

kinesthesia: 운동 감각(근 운동, 중량, 위치 등을 읽어 들이는 감각)

kinesthetic: 운동 감각성의

kinetic chain: 운동 연쇄

closed kinetic chain: 닫혀진 운동 연쇄

open kinetic chain: 열린 운동 연쇄

kinetics: 운동역학, 카이네틱스>동태동역학(動態動力學)

king concept: C 킹 컨셉

kissing spine: 극돌기 접촉[증]

▸상하의 극돌기 사이에 가성 관절(假性關節)을 형성하는 것.

klapping: 구타법

관 tapotement, clapping, cupping

kneading: (마사지의) 유날법

관 petrissage: 유날법

knee: 무릎

knee chest table: C 니(무릎) 체스트 테이블, 얼굴을 놓는 체위 테이블

knee jerk: 슬개건 반사

knee joint: 슬관절, 무릎관절

knee reflex: 슬개건 반사

kyphoscoliosis: (척주) 후측만

kyphosis: (척주) 후만

반 lordosis: 전만

kyphotic: 후만의

L

lamina: 판, 추궁판

laryngitis: 후두염

latent myofascial trigger point: 잠재적 근막 트리거 포인트, 잠재적 근막 통증 유발점

반 active ~: 활성 ~

latent period: 잠복기

lateral: 외방, 외측, 측면

반 medial: 내측

lateral atlantoaxial joint: 외측환축관절

lateral bending: 측굴

lateral condyle: 외측과(外側顆)

lateral flexion: 측굴(측방 굴곡의 약어)

lateral flexion malposition: Ⓒ 측굴 변위

▸ 스태틱 리스팅 표현법의 하나.

lateral flexion restriction: Ⓒ 측굴 제한

▸ 다이나믹 리스팅 표현법의 하나.

lateral mass: 외측괴

lateral mass of atlas: 환추 외측괴

lateral position: 측와위

laterolisthesis: Ⓒ 측방 변위

▸ 스태틱 리스팅의 표현법의 하나.

laxity: 이완

leander technique: Ⓒ 리엔더 테크닉

leg: 하퇴, 다리(주의: 발이 아니다)

　관 thigh: 대퇴

　short leg: Ⓒ 단하지(短下肢)

leg deficiency: Ⓒ 각장차(脚長差)/하지장 부족의 것

　동 short leg: Ⓒ 단하지

leg length: 각장(脚長), 다리길이

leg length discrepancy: 각장차(脚長差)

leg length inequality: Ⓒ 각장차(脚長差)/하지장 부등(不等)=LLI

lens: 수정체

lesion: 손상, 장애

　예 spinal lesion: 척추 장애

　　joint lesion: 관절 장애

leukocyte: 백혈구

lever: 레버, 지렛대

　관 fulcrum: 지점

　예 long lever: 긴 레버, 긴 지렛대

　　short lever: 짧은 레버, 짧은 지렛대

life force: 생명력=life power

ligament: 인대

anterior longitudinal ligament: 전종인대

capsular ligament: 관절포인대

interspinous ligament: 극간인대

posterior longitudinal ligament: 후종인대

yellow ligament: 황색인대, 황인대

ligamentous laxity: 인대의 이완

limb: 사지(四肢)의 肢

artificial limb: 의지(義肢)

lower limb: 하지(下肢)

upper limb: 상지(上肢)

limbus: 관절순, 관절 주변

limbus vertebra: 추체 주변분리《엑스레이에서》=limbus bone

limp: 파행(跛行)

line of drive: C 교정 방향=line of correction

listhesis: 변위, 전위

예 laterolisthesis: 측방 변위

예 spondylolisthesis: 척추전방전위증

listing: C 리스팅

관 listing up=dysfunctional side up

dynamic listing: 다이나믹 리스팅(restriction type)

▸한 개의 척추가 이상한 운동을 하는 특징을 인접한 분절과 관련하여 표현하는 방법.

1) flexion restriction: 굴곡 제한

2) extension restriction: 신전 제한

3) lateral flexion(right or left): 측굴 제한(우 또는 좌)

4) rotational malposition(right or left): 회전 제한(우 또는 좌)

static listing: 스태틱 리스팅(malposition type)

▸한 개의 척추를 인접한 분절과 관련해서 위치를 표현하는 방법.

1) flexion malposition: 굴곡 변위
2) extension malposition: 신전 변위
3) lateral flexion malposition(right or left): 측굴 변위(우 또는 좌)
4) rotational malposition(right or left): 회전 변위(우 또는 좌)
5) anterolisthesis: 전방 변위
6) retrolisthesis: 후방 변위
7) laterolisthesis: 측방 변위

literature documentation: 문헌 조사

little finger: 소지

LLI: C leg length inequality의 약어

localization: 한국화(限局化)

1. 마니퓰레이션 치료에서 원하는 결과를 내기 위해 피술자와 응력의 방향 위치의 결정을 명확하게 하는 것.
2. 신체의 일정 구역에 감각 발생을 느끼는 것.

locking: C 로킹, 고정,

예 articular locking, joint locking

logan basic technic: C 로간 베이직 테크닉

logical: 논리학, 논리학상의, 근을 통한

loose joint: 동요관절(動搖關節)

loosening: 이완

loose-packed-position: C 관절이 자유롭게 움직이는 상태

lordosis: (척주) 전만

반 kyphosis: 후만

lordotic: 전만의

lovett illi classification of lumbar scoliosis: C 일리에 의한 요추 측만증의 분류법

low blood pressure: 저혈압=hypotension, 반 hypertension: 고혈압

low back pain: 요통, 요통증

low fat diet: 저지방식=LFD

lower arm: 전완

lower extremity: 하지(下肢)

lower limb: 하지(下肢)

lumbago: 요통, 요통증=low back pain

lumbar: 요추, 요추의

lumbar puncture: 요추 천자

lumbar spine: 요추, 척주 요추부

lumbar vertebra: 요추

lumbarization: 요추화

관 sacralization: 선추화

lumbolumbar lordotic angle: 요요추 전만각(요추 전만의 엑스레이 촬영에 의한 객관적 측정으로 제2 요추 상면과 제5 요추 하면에서 이루어진 각도로 결정된다)

lumbosacral: 요선부의

lumbosacral angle: 요선각《엑스레이에서》

lumbosacral junction: 요선부, 요선결합부

lumbosacral lordotic angle: 요선 전만각(요추 전만의 엑스레이 촬영에 의한 객관적인 측정으로, 제2 요추 상면과 선골 제1 분절의 상면에서 이루어진 각도)

lumbosacral strain: 요선추부 염좌

luschka joint: 루쉬카 관절=unconvertebral joint

luteotropic hormone: 황체자극 호르몬=LTH

luxation: 탈구=dislocation

lymph node: 림프절

M

magnetic resonance imaging: 자기공명영상법=MRI

malacia: 연화, 연화증

mal-alignment: 부정렬

반 alignment: 정렬

malformation: 기형, 형태 이상

malfunction: 기능 이상

관 dysfunction: 기능 장애

malingering: C 꾀병=simulation

malposition: C 위치 이상, 변위

관 displacement, deviation, malalignment, misalignment, derangement, disarrangement, distortion.

malpractice: 의료 과오

예 ~ suit: 의료 과오 소송

~ insurance: 배상 보험

mamillary process: 유두돌기

maneuver: C 매뉴버, 수기, 기법

mani: 손, 손가락

manipulation: 마니퓰레이션(주의: 수기치료, 도수정복이라고 번역하지 않는다)

▸손을 이용하여 신속하고 속도를 빠르게 하는 치료법으로, 관절은 수동가동역의 한계 가까이에 도달한다. 속도가 빠르기 때문에 환자가 스스로 가감할 수가 없다. 기술적으로 미숙한 경우 사고의 가능성도 있다.

manipulative lesion: C 마니퓰레이션으로 교정 가능한 장애

▸Scott Haldeman이 제창하고 있다. 서블럭세이션의 의론을 피하기 위해 서블럭세이션으로 바뀐 용어.

manipulative reduction: 도수정복(徒手整復)

manipulative subluxation: C 마니퓰레이티브 서블럭세이션

▸마니퓰레이션으로 교정 가능한 서블럭세이션, 정렬, 운동, 기능 중의 어느 것이나, 또는 전부가 변화하고 있는 서블럭세이션 중에 마니퓰레이션에서 개선이 나타나는 것.

manipulative therapy: 마니퓰레이션 요법>수기요법

maintenance: 유지

health maintenance: 건강 유지, 건강 관리

maliganant: 악성(조직 파괴의 결과로서 발생한 치료의 병리적 저항, 종양에서는 신체의 원위 부위 또는 국소 부위에 컨트롤할 수 없는 침입에 의한 종양이 퍼져가는 것을 나타낸다.)

mandible: 하악골

manual correction: 도수교정

manual medicine: 매뉴얼 메디슨, 도수의학

manual muscle testing: 도수 근력 테스트=MMT

manual therapy: 매뉴얼 세라피

manus: 손

massage: 마사지(주의: 카이로프랙틱에서는 마사지는 사용하지 않고 완화 조작을 실시한다)

관 friction(deep rubbing): 강찰법

petrissage(keading): 유날법

effleurage(stroking): 경찰법

tapotement(klapping): 구타법

관 soft tissue technique: C 완화 조작, pressure technique 등

masseur: 마사지사

mastoid process: 유양돌기

mcNabs line: 맥너브 라인《엑스레이에서》

mears technique: C 메아스 테크닉

mechanoreceptor: 기계적 수용기(기계적 압력이나 뒤틀림에 의해 흥분되는 수용기. 예를 들면 접촉이나 근의 수축 등에 대응한다)

medial: 내방, 내측(주의: 중앙이 아니다)
반 lateral: 측방
medial condyle: 내측과
medial malleolus: 내과
median atlantoaxial joint: 정중환추관절
median nerve: 정중신경
median sagittal plane: 정중시상면
medical: 의학의, 의료의, 의료적
medical certificate: 진단서
medical examination: 건강 진단, 의학적 검사
medical malpractice: 의료 과오
medical practice(profession): 의료, 의업
medical practitioner: 의사, 개업의
medical record: 병력, 카르텔, 진료기록부=clinical chart
medical school: 의학부
medical term: 의학 용어
medical treatment: 의료
관 medical care: 의료, 진료
medicaid: 메디케이드(미국의 저소득자를 위한 보험)
medicare: 메디케어(미국의 노인의료보험)
medicine: 의학, 내과, 약
예 medicine man: 주술사, medicine show를 벌이는 떠돌이 약장수.
관 surgery: 외과
melting point: 융점
meninges: 수막
meniscoid: 메니스코이드
meniscoid entrapment: 메니스코이드 엔트라멘트

meniscus: 관절반월, 반월판

meralgia: 대퇴통, 대퇴통증

meric system: C 머릭 시스템

▸장기는 신경 분절 레벨에서 지배되고 있기 때문에 척추를 통해서 내장으로 치료가 가능하다는 설.

metabolism: 대사

metacarpal contact: C 중수골 접촉(나이프 엣지)

metacarpophalangeal contact: C 중수지절간관절 접촉

metacarpus: 중수(中手)

metaphysis: 골간단(骨幹端)

metastasis: 전이

micromanipulation: C 마이크로 마니퓰레이션

microtrauma: 미소 외상(微小 外傷)

microwave: 초단파

midcarpal joint: 수근중앙관절

middle phalanx: 중절, 중절골

mid-heel line: 종골(발뒤꿈치) 중앙선(양쪽 종골에서 등거리에 있는 수직선으로 입위 전후 X선 사진과 자세 평가에서 활용된다)

mid-malleolar line: 외과 중앙선(외과를 통과하는 수직선으로, 입위 측면 X선 사진과 자세 평가에서 활용된다)

migraine: 편두통, 관 headache: 두통

misalignment: C 부정렬

mitochondria: 미토콘드리아

MMT: manual muscle testing의 약어

mobility: 가동성

mobilization: 수동(受動), 수동술(주의: 가동화라고 번역하지 않는다)

▸손을 이용하여 완연하게, 속도를 느리게 하는 치료법으로, 관절은 수동적 가동역 내에 있다. 치료는 환자 자신이 가감, 저항할 수가 있다.

반 immobilization: 가동성이 없음

modified: C 수정했다>응용했다

molar: 어금니, 대구치

monoplegia: 단마비(單麻痺)

morbidity: 질병율, 병적 상태

mortality: 사망률

motility: 운동성

motion: 운동, 동작

예 active motion: 자동운동

motion and rest: 움직임과 정지

관 movement: 운동(구체적인 움직임의 방향, 목적, 규율적 등의 강조)

range of motion: 가동역=ROM

motion palpation: C 모션 팔페이션

▸정적 촉진에 대항한 용어

가동 촉진>동적 촉진>동태 촉진

motion segment: 운동 분절

motor: 운동의, 운동성의

motor cortex: 운동피질

motor nerve: 운동신경

motor point: 운동점

motor unit: 운동 단위

vertebral motor unit: C 척추운동단위

moxibustion: 뜸, 뜸요법

MP: mamillary process의 약어

MRI: 자기공명화상진단

multiple sclerosis: 다발성 경화증

muscle: 근육, 근, 관 muscular: 근육의

calf muscles: 비복근군

postural muscle: 자세근

voluntary muscle: 수의근

muscle atrophy: 근 위축

muscle contracture: 근 구축증

muscle exercise: 근 훈련

muscle imbalance: 근력 불균형

muscle origin: 근 기시

muscle spasm: 근 스파즘

muscle strain: 근 피로, 근 과로, 근 좌상

muscle strengthening exercise: 근력 증강 훈련

muscle tonus: 근 긴장

muscle weakness: 근력 저하

muscular contracture: 근 구축, 근성 구축

muscular strength: 근력=muscle strength

musculature: 근육계

musculoskeletal: 근골격의

myalgia: 근육통

myasthenia: 근무력증

myasthenia gravis: 중증근무력증

myatonia: 근 무긴장증

myelogram: 척수촬영화상, 골수화상

myelography: 척수조형, 척수조형법

myeloma: 골수종

multiple myeloma: 다발성 골수종

solitary myeloma: 단발성 골수종

myelopathy: 척수증

예 경추증성 척수증

관 radiculopathy: 신경근증

myodysplasia: 근위축증

myofascial(pain) syndrome: 근막(통) 증후군

myofascial trigger point: 근막 트리거 포인트, 근막 통증 유발점

예 primary ~: 일차적(원발성) ~

secondary ~: 이차적 ~

active ~: 활성 ~

latent ~: 잠재적 ~

satellite ~: 수반적(隨伴的) ~

associated ~: 관련 ~

myofascitis: 근 근막염

myofibrils: 근원 선유(섬유)

myofibrosis: 근 섬유증

myopathy: 마이오파시, 근 장애

myopia: 근시

myositis: 근염

myotatic unit: 근장력 단위

▸척수반사반응이 공통이기 때문에 서로 기능하는 주동근과 길항근 그룹

N

naprapathy: 나프라파시

▸건 및 인대에서 질병이 유래한다고 믿는 치료법.

national upper cervical technique: C 내셔널 상부 경추 테크닉

naturopathy: 내츄럴파시, 자연요법

nausea: 오심, 구역질. 관 vomiting

neck: 목, 경부

neck brace: 경추 장구(裝具)

neck compression test: 두부 압박 테스트

neck shaft angle: 경체각(頸體角)
necrosis: 괴사
negative: (검사에서) 마이너스, 음성, 정상
  관 normal: 정상
neoplasm: 신생물
nephrotic syndrome: 네프로제 증후군
nerve: 신경
  axillary nerve: 액와신경
  cranial nerve: 뇌신경
  femoral nerve: 대퇴신경
  isolated zone of nerve: 지각 고유역
  median nerve: 정중신경
  motor nerve: 운동신경
  parasympathetic nerve: 부교감신경
  sensory nerve: 감각신경
  sinuvertebral nerve: 동(洞) 척추신경, 동굴 척추신경
  spinal nerve: 척수신경
  sympathetic nerve: 교감신경
nerve action potential: 신경활동전위
nerve branch: 신경지
nerve compression hypothesis: C 신경압박설(가설)
nerve conduction: 신경 전도, 임펄스
nerve conduction velocity: 신경전도속도
nerve ending: 신경 종말, 신경 말단
nerve entrapment: 신경 교액(神經絞扼)
nerve fiber: 신경 선유
nerve injury: 신경 손상
nerve interference: C 신경 전달 방해, 정상적인 신경 전달의 방해

nerve root: 신경근

dorsal nerve root: 후근

nerve root of cervical spine: 경추신경근

nerve root of lumbosacral spinal cord: 요선수신경근

nerve root of thoracic spine: 요추신경근

ventral nerve root: 전근

nerve root compression: 신경근 압박

nerve root compression syndrome: 신경근 압박 증후군

nerve stretching: 신경 신연(神經伸延)

nerve stretching test: 신경 신장 테스트

nerve system: 신경계

nerve tracing: 신경 탐사

nerve tract: 신경로, 신경삭

nerve transmission: 신경 전도

예 impulse based ~: 임펄스성의

non-impulse based ~: 비임펄스성의

관 neurotransmitter: 신경 전도 물질

nerve trunk: 신경간

network: C 네트워크

neuralgia: 신경통

intercostal neuralgia: 늑간신경통

occipital neuralgia: 후두신경통

trigeminal neuralgia: 삼차신경통

neuralgic scoliosis: 신경통성 척주 측만(증)

neuritis: 신경염

neurodystrophic: 신경 디스트로픽, 신경 박멸의

neuro-emotional technique: C 신경-정동(情動) 테크닉

neurogenic: 신경성의, 신경원성의

neurological test: 신경학 테스트

neuromuscular junction: 신경근 결합(부)

neuromuscular unit: 신경근 단위

neuromusculoskeletal system: C 신경근골격계

neuro-organization technique: C 신경-기질 테크닉

neuron: 뉴런

neuropathogenesis: 신경병인(神經病因), 신경병 발생

neuropathogenic: 신경병원성의

neuropathology: 신경병리학

neuropathophysiology: 신경병태생리학

neuropathy: 뉴로파시, 신경장애, 신경병

compression neuropathy: 압박(성) 신경 장애

entrapment neuropathy: 교액(성) 신경 장애

neurophysiological effects: 신경생리학적 영향

neurosurgery: 신경외과학

neurotrophy: 신경 영양(조직의 영양과 유지가 직접 신경지배에 의해 제어되는 것)

neurovascular: 신경혈관의

neutral position: 중간위, 중립위

neutral vertebra: (측만) 이행추

neutrophil: 호중구

NGO: non-governmental organization의 약어

nimmo technique: C 니모 테크닉=receptor tonus technique

nociceptor: 침해 수용기(고통이나 외상 등의 자극을 수용 및 전달하는 말초신경기관 또는 구조)

node: 결절

non-governmental organization: 비정부조직, 국제협력을 도모하는 시민조직=NGO

nonforce technique: C 논 포스 테크닉

▸힘을 넣지 않는 테크닉

non-neutral: 비중립위(척주의 시상면이 생리적 운동의 제2 원칙에 해당하는 영역에 있는 것)

non recoiling: C 반동하지 않는다

nonspecific: C 비 스페시픽, 비특이적=general

반 specific: 특이적

normalization: 정상화(해부학적 및 생리학적 메커니즘을 치료에 이용해서 신체의 반응을 촉진시켜 호메오스타시스와 건강 개선을 목표로 하는 것)

notch: 절흔

sciatic notch: 좌골 절흔

vertebral notch: 척추 절흔

notochord: 척색(脊索)

nuclear herniation: 수핵 헤르니에이션

nucleography: 수핵 조형, 수핵 조형법

nucleotomy: 수핵 적출(술)

nucleus pulposus prolapse: 수핵 탈출(증)

numbness: 저림, 마비

nutation: 굴신운동, 점두운동(点頭運動)

반 counter nutation: 일어서기 운동, 대향점두운동(對向点頭運動)

nutrition: 영양

nutrition disorder: 영양 장애

O

obesity: 비만, 비만증

object test: 객관적 테스트

objective: 객관적인, 반 subjective: 주관적인

observation: 시진(일반적인 용어로는 관찰)

　관 inspection: 시진

observer: 관찰자

occipital: 후두골의

occipital condyle: 후두과

occipital neuralgia: 후두신경통

occipito-atlanto-axial complex: 후두환축추 복합체

occiput: 후두골

occupational disease: 직업병

occupational health: 직업 위생＞노동 위생

occupational therapist: 작업요법사=OT

occupational therapy: 작업요법

ocular motion: 안구운동

odontoid: 치돌기

odontoid process: 치돌기

old wives' remedy: folk medicine을 참조

omalgia: 견관절통

omarthritis: 견관절염, 어깨관절염

open reduction: 관혈적 정복(整復)

open wedge: 오픈 웻지

operation: 수술, 관 surgery: 외과수술

opposition: 대립운동

optic nerve: 시신경

origin of the muscle: 근의 기시

　반 insertion of the muscle: 근의 정지

organic disease: 기질적 질환

organic disorder: 기질적 장애

　반 functional disorder: 기능적 장애

orthopedic (examination) test: 정형학적 검사, 정형외과 검사

orthopedics: 정형외과, 정형외과학

반 plastic surgery: 성형외과

orthopedist: 정형외과의사

ossification: 골화

ossification of anterior longitudinal ligament: 전종인대 골화=OALL

ossification of posterior longitudinal ligament: 후종인대 골화=OPLL

ossification of the ligamentum flavum: 황색인대 골화[증]=OLF

osteitis: 골염(骨炎)

osteoarthritis: 골관절염

osteoarthrosis: 골관절증

osteodynia: 골통(骨痛), 뼈의 통증

osteodystrophy: 골 이영양, 골 이영양증

osteogenesis: 뼈 발생, 뼈 형성

osteogenic: 골성(骨性), 골원성(骨原性)

osteoid osteoma: 유골종(類골종)

osteolysis: 골 용해, 뼈 용해

osteolytic: 용골성(溶骨性)

osteomalacia: 골연화, 골연화증

osteomyelitis: 골수염

osteopath: 오스테오파시를 실시하는 자격이 있는 사람=doctor of osteopathy

osteopathy: 오스테오파시(주의: 정골의학이라고 번역하지 않는다)

▸A.T. Still이 1876년에 저작한 수기요법. 그 이론은 인체의 구조와 기능은 상호 의존관계이며, 이상 구조는 체순환에서 악영향을 미친다고 생각하여, 동

맥의 법칙이 무엇보다도 중요하다고 했다. 카이로프랙틱이 건강에 중요한 요인이 신경 기능이라고 주장한 것에 대해서, 오스테오파시에서는 혈액 공급이라고 했다. (주의: 의학에서는 뼈 장애를 의미한다.)

관 hunger osteopathy: 기아성 골증

osteopenia: 오스테오페니아, 뼈 감소, 골감소증

osteophyte: 골극(骨棘)=spur

osteophytosis: 골증식증, 뼈 증식증

osteoporosis: 골조성증, 골다공증

osteosarcoma: 골육종

osteosclerosis: 골경화, 골경화증

OT: occupational therapist의 약어

outcome assessment: 결과 평가

outpatient: 외래환자, 통원환자

overuse syndrome: 혹사 증후군

P

pain: 통증, 동통

back pain: 배통(背痛)

dull pain: 둔통

growing pain: 성장통

lancinating pain: 전격통(電擊痛), 쑤시는 통증, 찌르는 통증

low back pain: 요통, 요통증

radiation pain: 방산통

referred pain: 관련통

sharp pain: 예통(銳痛), 예리한 통증

pain relief: 동통 관해(疼痛寬解), 동통 경감, 동통 제거

pain sensation: 통각=pain sense: 통각

pain spot: 통점(痛點), 통증 지점

pain threshold: 통각 역치, 통각 영역
pain tolerance: 내통 한계(耐痛限界), 동통 내성
pallesthesia: 진동각, 진동 감각
palliative: 기대적, 일시적
  palliative care: 일시적 요법
palm: 손바닥, 수장(手掌)
[palmer] upper cervical technique: Ⓒ [파머] 상부 경추 테크닉
palmer contact: Ⓒ 수장 접촉, 손바닥 접촉
palpation: 촉진
  static palpation: Ⓒ 스태틱 팔페이션, 정적 촉진
  motion palpation: Ⓒ 모션 팔페이션, 가동 촉진, 동적 촉진, 가동성 검사법
  palpatory diagnosis: 촉진 진단
palpatory skill: 촉진적 기술, 촉진 기술
palpitation: 동계, 심계 항진
palsy: 마비
  birth palsy: 분만 마비
  brachial plexus palsy: 완신경총 마비
  cerebral palsy: 뇌성마비
  facial palsy: 안면신경 마비
  spinal palsy: 척수 마비
paralysis: 마비=palsy
  예 flaccid paralysis: 이완성 마비
paraphysiological: 방생리학적(傍生理學的)
  paraphysiological space: 방생리학적 공간
paraplegia: 대마비(對麻痺)
parasympathetic: 부교감신경의
  parasympathetic nerve: 부교감신경

paravertebral: 방척주(傍脊柱)

paravertebral muscle: 방척주근

paresis: 부전마비(不全痲痺)

pars interarticularis: 관절(돌기)간부, 추간관절부

passive exercise: 타동운동훈련

passive motion: 타동운동, 수동운동=passive movement

관 active motion: 자동운동, 능동운동

passive range of motion: 수동적 가동역

patella: 슬개골

pathologic: 병적, 병리학적, 이상(異常)

pathological change: 병리적 변성

pathology: 병리학, 병리

pathomechanics states: 병태역학적 상태

pathophysiology: 병태생리학

patient cooperation: 환자의 협력(촉진과 치료의 과정을 돕기 위해서 환자가 술자의 지시를 받아 실행하는 자발적 운동)

patient position: C 환자의 위치

관 doctor position: 닥터 위치

PBL: problem based learning의 약어

pediatrics: 소아과, 소아과학

관 geriatrics: 노인의학, 노인병학

pelvic declination(pelvic unleveling): 골반 편각(골반 불수평) (전후 축의 주위를 회전하고 있는 골반)

pelvic tilt: C 골반 경사

관 pelvic lateral shift: 골반 측방 이동

pelvic lateral tilt: 골반 측방 경사

pelvic rotation: 골반 회전

pelvic neutral position: 골반 중간위

anterior pelvic tilt: 골반 전방 경사
posterior pelvic tilt: 골반 후방 경사
pelvis: 골반
percussion: 1) 타진(打診), 타진법, 2) 경타(輕打)
perianal postural reflex technique: Ⓒ 항문 주위 자세 반사 테크닉
periarthritis: 관절 주위염, 관절 주위 조직의 염증
periarthritis scapulohumeralis: 견관절 주위염
peridural: 경막외
peridural anesthesia: 경막외 마취, 경막외 마취법
perineural: 신경 주위의
perineurial: 신경 주막의
perineuritis: 신경 주위염
periosteal: 골막성
periosteum: 골막
periostitis: 골막염
peripheral nerve: 말초신경
periphery: 말초, 주변
personality disorder: 인격장애
pes: 발
petrissage: 유날법(揉捏法)
관 kneading: 유날법
pettibon technique: Ⓒ 페티본 테크닉
phalanx: 1) 지절, 2) 지절골
distal phalanx: 1) 말절, 2) 말절골
middle phalanx: 1) 중절, 2) 중절골
proximal phalanx: 1) 기절, 2) 기절골
philosophy: 철학, 원리
chiropractic philosophy: Ⓒ 카이로프랙틱 철학

physical diagnosis: 이학적 진단

physical examination/physiological examination: 이학적 검사>신체 검사

physical fitness index: 체력 지수

physical therapist: 이학요법사=PT

physical therapy: 물리요법, 이학요법=physiotherapy

C 닥터(주의: 의사, 내과의라고 번역하지 않는다)

예 my family physician

physiologic motion: physiological motion을 참조

physiological motion: 생리적 움직임=physiologic motion

physiological stress line: 생리학적 스트레스 라인《엑스레이에서》

physiotherapy: 이학요법, 물리요법=physical therapy

pierce stillwagon technique: C 피어스 스틸와건 테크닉

pillar: 관절돌기(주의: 엑스레이에서 보이는 관절돌기)

예 articular pillar

pincer palpation: C 집게 촉진

관 skin rolling: 피부 롤링

pinch: 죄다, 끼우다

piriformis: 이상근

piriformis syndrome: 이상근 증후군

pisiform: 두상골

pisiform contact: C 두상골 접촉

pivot joint: 차축관절

placebo: 플라시보, 위약

placebo effect: 플라시보 효과

plane: 면(面)

▸공간 내의 3점 위치에서 결정되는 평면.

coronal plane: 관상면

frontal plane: 전두면, 전액면

sagittal plane: 시상면

예 median sagittal plane: 정중시상면

transverse plane: 횡단면=horizontal plane: 수평면

plane joint: 평면관절, 활동관절(滑動關節)

plantar flexion: 저굴(底屈)

plantar reflex: 족저반사

plaster: 기브스

예 plaster bandage or cast: 기브스 포대

plastic deformation: 소성변형(塑性變形)

반 elastic deformation: 탄성변형

plasticity: 가소성

▸탄력성 한계를 넘어서 하중이 미치면 영구적으로 변형하는 물체의 특성.

반 reversible: 가역성

관 elasticity: 탄성

platelet: 혈소판

pleura: 흉막

plumb line: 연직선, 플럼 라인

pneumothorax: 기흉

PNI: psychoneuroimmunology를 참조

point of contact: C 닥터가 접촉하기 위한 점

poker spine: 돌배(突背) 척추

polarity technique: C 폴라리티 테크닉

polymyositis: 다발성 근염

poor posture: 불량 자세, 나쁜 자세=bad posture

관 flat back, round back, hollow back, hollow round back=sway back

position: C 체위(體位), 지위(肢位), 자세=positioning

flexed position: 굴곡위
functional position: 기능지위(機能肢位)
lateral position: 측와위
neutral position: 중간위, 중립위
prone position: 복와위
resting position: 안정위
squatting position: 웅크린 자세, 쪼그린 자세
supine position: 앙와위

positive: (검사에서) 플러스, 양성, 이상(異常)
관 abnormal: 이상(異常)

posterior: 뒤의, 후방의, 후부의

posterior cruciate ligament: 후십자인대
반 anterior cruciate ligament: 전십자인대

posterior ponticle of atlas: 환추 후소교《엑스레이에서》

posterior superior iliac spine: 상후장골극=PSIS

postganglionic: [신경]절후
반 preganglionic: [신경]절전

postmenopausal syndrome: 폐경기 이후 증후군

posttraumatic: 외상 이후의
posttraumatic stress disorder: 외상 이후의 스트레스 장애

postural alteration: 자세의 변화

postural analysis: 자세 분석

postural balance: 자세 밸런스

postural muscle: 자세근

postural scoliosis: 자세성 척주 측만증

posture: 자세, 체위
good posture: 양호 자세, 좋은 자세
side posture: 측와위

potential: 전위, 잠재, 잠재성

  nerve action potential: 신경활동전위

practice: 업무, 실전, 실시, 경험, 연습, 개업, 영업

  예 chiropractic practice: C 카이로프랙틱 업무

practicum: (임상) 실습

practitioner: C 카이로프랙터 > 전문의, 개업의, 시술자, 치료가

preadjustive tension: C 교정 전의 장력

preganglionic: [신경]절전

  관 postganglionic: [신경]절후

premanipulation: C 완화조작

premenstrual syndrome=PMS: 생리전증후군

pressure: 압력

preventative: 예방의

preventive: 예방의

  preventive medicine: 예방의학(주의: 의료라고 번역하지 않는다)

primary: 제1차, 제1, 초기, 원발성

primary health care: 프라이머리 헬스 캐어, 제1차 의료(주의: 초기 의료라고 번역하지 않는다)

prime mover: 초동근(初動筋)

principle: 이론, 원리

  예 chiropractic principle

problem based learning: 문제 해결 사고=PBL, 문제에 기초한 학문

problem−solving ability: 문제 해결 능력

procedure: 방법, 검사 및 치료의 수순(주의: 처치라고 번역하지 않는다)

process: 돌기

prognosis: 예후

prolapse: 탈출, 탈출증

disk prolapse: 추간판 탈출

pronation: 회내

반 supination: 회외

prone: 복와위

prone position: 복와위

prophylaxis: 예방, 예방 의학

proprioception: 고유수용, 체성 지각, 고유 감각

proprioceptive insult hypothesis: C 고유수용기 상해설

proprioceptive reflex: 고유반사

관 exteroceptive reflex: 외수용반사

proprioceptor: 고유수용기

protein: 단백질, 단백

protocol: 프로토콜, 계획서

protrusion: 돌출, 팽융

proximal: 근위의, 기부의

반 distal: 원위의

proximal interphalangeal contact: C 근위지절간 접촉

pseudo: 가성(假性), 가짜의

pseudospondylolisthesis: 가성척추전방전위증

psycho: 정신의

반 physical: 신체의

psychogenic: 심인성의, 심인성

psychoanalysis: 정신분석

psychology: 심리학

psychoneuroimmunology: 정신신경 면역학=PNI

psychosomatic: 정신 신체의, 심신 상관의, 정신 신체

psychotherapy: 심리요법, 정신요법

PT: physical therapist의 약어

pubic bone: 치골

pubic tubercle: 치골결절

pulmonary disease: 폐 질환

pump-handle rib motion: C 펌프 핸들 립 모션

▸흡기 시에 상부 늑골이 전면으로 거상하며(들려지며), 흉곽의 전후경이 넓어진다.

push/pull: 푸쉬/풀(누르고 당기는 동작을 의미한다)

R

RA: rheumatoid arthritis의 약어

rachialgia: 척추통, 척추과민증

rachidial: 척주의, 척추의

(척추는 추골 하나하나를 의미하고, 척주는 추골 2~3개 이상 또는 척추 전체를 의미함)

rachidynia: 척추통, 척주통

rachiology: 척주학

radiating pain: 방산통

radicular pain: 근성통(根性痛)

radiculitis: 신경근염

radiculomyelopathy: 신경근 척수증

radiculopathy: 신경근증

radiograph: 엑스레이 사진

radiographic analysis: 엑스레이 사진 분석

radiographic imaging: 엑스레이 화상

radiography: 엑스레이 촬영(주의: 방사선 촬영이라고 번역하지 않는다)

radiologic findings: 엑스레이 소견

radiologic procedures: 엑스레이 검사법

radiolucent: 엑스레이 투과성의

radiopaque: 엑스레이 불투과성
radiosensitivity: 엑스레이 감수성, 방사선 감수성
randomized clinical trial: 무작위 임상 시험
randomized controlled trial: 무작위 비교 시험
range of motion: (관절의) 가동역=ROM
rationale: 이론적 근거(rational은 이론적, 이성적)
reaction: 반응
  adequate reaction: **C** 적정 반응
  exceeding reaction: **C** 과잉 반응
receptor-tonus technique: **C** 립셉터 토누스 테크닉(니모 테크닉)
recipe: 처방, 복용
recipient: 수급자, 수혈자
reciprocal inhibition: 상반 억제(相反抑制) (작동근이 자극을 받을 때 길항근이 억제)
recoil: **C** 리코일
  ▸카이로프랙틱 어져스트먼트의 하나로, 반동 작용을 이용한다.
  예 recoil thrust: 리코일 스러스트
rectilinear motion: 직진 운동
recumbency: 와위(臥位), 누운 자세
reduction: 정복(整復), 환납(還納)
  closed reduction: 비관혈적 정복
  manipulative reduction: 도수 정복(徒手整復)
  open reduction: 관혈적 정복
referred autonomic phenomena: 관련 자율신경 현상
referred pain: 관련통, 방사통
reflex: 반사
  autonomic hypertonic reflex: 자율신경 과긴장반사
  deep reflex: 심부 반사

muscle spindle reflex: 근방추 반사
pathogenic reflex: 병적 반사
spinal reflex: 척수 반사
stretch reflex: 신장 반사
tendon reflex: 건 반사
tonic neck reflex: 긴장성 경반사

reflex arc: 반사궁

reflex therapy: Ⓒ 반사 요법

▸구심성 임펄스를 촉진해서 정상적인 생리적 반응을 야기하는 치료법.

regeneration: 재생

rehabilitation: 리허빌리테이션, 갱생 지도, 사회복귀요법

관 rehabilitation: 기능 회복

reinert technique: Ⓒ 레이너트 테크닉

rejection: 거절, 거절 반응

relaxation: 릴렉세이션, 이완

reliability studies: 신뢰성 시험

remission: 완해(緩解), 소강 상태, 감퇴, 저하

resection: 절제, 절제술

resilience: 탄성, 회복력

resistance: 저항

resisted method: Ⓒ 저항법

관 assisted method: 지지법

respiration: 호흡

respiratory cooperation: 호흡 협력(환자가 마니퓰레이션 치료를 보조하기 위해 오스테오파시 의사나 카이로프랙터의 지시에 따라 흡기 및 호기를 실시하는 것)

resting position: 안정위

resto reticular formation: 망양체

restriction: 제한, 관 malposition: 변위

retroflexion: 후굴

예 retroflexion of uterus: 자궁 후굴

retrolisthesis: C 후방변위

▸스태틱 리스팅 표현법의 하나.

retrospondylolisthesis: 척추후방전위증

관 spondylolisthesis: 척추전방전위증

reversible: 가역적, 가역성의

reversible calcinosis: 가역성 석회침착증

reversible complication: C 가역성 합병증

▸척추 마니퓰레이션 이후에 나타나는 경우가 있는 합병증으로, 기질적인 변화가 존재하며, 특별한 진단과 치료의 한쪽 또는 양쪽이 필요하지만, 완전 치유는 달성된다. 치료 직후에 곧 발증하거나 잠행해서 2일 이내에 발증한다.

rheumatoid arthritis: 만성관절 류마티스=RA

rib: 늑골

rib cage: 흉곽

rib dysfunction(rib lesion): 늑골 기능장해(늑골장해)

rib fixation: 늑골 픽세이션

ridge: 능(稜), 조면, 선

rigidity: 딱딱한 것, 굳어진 것=stiffness, 강직

roentgenometrics: 엑스레이 계측

rolfing: 롤핑

▸P. Rolf 박사가 고안했다. 10시간을 1사이클로 신체의 연부조직에서 심부조직까지 실시하는 수기. 심부 마찰은 건을 이완시키거나 근막 조직을 신전시켜서 자세와 심리면의 쌍방으로 효과를 올리는 것이다.

roll: 롤, 예 dutchman roll, chest roll: 베개와 같은 쿠션

ROM: range of motion의 약어

root sign: (신경) 근증상

ropiness: 로프 모양의 감촉

관 stringiness: 줄 같은 감촉

▸코드나 줄과 같은 감촉을 특징으로 하는 이상한 조직 감각

rotation: 회전

external rotation: 외회전

internal rotation: 내회전

rotational malposition: C 회전변위

▸스태틱 리스팅 표현법의 하나.

rotational restriction: C 회전 제한

▸다이나믹 리스팅 표현법의 하나.

round back: 새우 등, 원배(圓背)

rupture: 단열, 파열

S

sacral apex: 선골첨

sacral base angle: 선골 기저각(선골저와 수평면이 이루어진 각도)

《엑스레이에서》=SBR

sacral crest: 선골능

관 second sacral tubercle: 제2 선골능(결절)

sacral torsion: 선골 염전

sacral vertebra: 선추

sacralization: 선추화

관 lumbarization: 요추화

관 transitional vertebra: 이행추

sacroiliac fixation: C 선장관절 픽세이션

=sacroiliac joint locking

sacroiliac extension fixation: 선장관절 신전 픽세이션(AS)

sacroiliac flexion fixation: 선장관절 굴곡 픽세이션(PI)

sacroiliac sprain: 선장관절 염좌

sacroilitis: 선장관절염

sacro-occipital technique: C 선골-후두골 테크닉=SOT

sacrum: 선골, 관 sacral: 선골의

sagittal: 종(縱)의, 시상의, 전후의

sarcoma: 육종

scalenus anticus syndrome: 전사각근 증후군

scan: 스캔, 예 CT scan, bone scan

scapula: 견갑골

scar: 반흔

scar contracture: 반흔 구축

schmorl nodule: 슈몰 결절, 연골 소결절

sciatic nerve: 좌골신경

sciatic notch: 좌골절흔

sciatic scoliosis: 좌골신경통성 척추 측만(증)

sciatic spine: 좌골극

sciatica: 좌골신경통=ischialgia

sclerosis: 경화(硬化)《엑스레이에서》

scoliosis: 척주 측만, 척주 측만증

antalgic scoliosis: 동통성 측만, 동통 회피성 측만

congenital scoliosis: 선천성 측만(증)

functional scoliosis: 기능적 측만

habit(ual) scoliosis: 습관성 측만

idiopathic scoliosis: 특발성 측만(증)

infantile scoliosis: 유유아성(乳幼兒性) 측만(증)

juvenile scoliosis: 청소년성 측만(증)

neuropathic scoliosis: 신경통성 척주 측만(증)

paralytic scoliosis: 마비성 측만(증)

postural scoliosis: 자세성 측만(증)
sciatic scoliosis: 좌골신경통성 척주 측만(증)
static scoliosis: 정력학적 척추 측만(증)
structural scoliosis: 구조적 측만, 구축성 척주 측만(증)
scooping action: Ⓒ 수쿠핑 모션
scooping motion: Ⓒ 수쿠핑 모션
screening: 스크리닝
screening palpation: Ⓒ 스크리닝 촉진
segmental contact point: 분절 접촉점
segmental diagnosis: 분절 진단
segmental motion: 분절 운동
seizure: 발작, 간질 발작
senile kyphosis: 노년성 후만
senile osteoporosis: 노인성 골조성증(골다공증)
sensation: 감각
sensitivity: 감수성, 감각 또는 지각도
sensory: 지각, 지각의, 감각, 감각의
sensory disturbance: 지각 장애
sensory nerve: 감각신경, 지각신경
sensory nerve action potential: 지각신경 활동전위, 감각신경 활동 전위
shear: 전단력
sheath: 초(鞘), 덮개, 칼집
tendon sheath: 건초(腱鞘)
sherrington laws: 쉐링톤 법칙
short leg: Ⓒ 단하지(短下肢) (주의: 단족이라고 번역하지 않는다)
관 leg deficiency: 단하지(短下肢)
shoulder: 어깨

frozen shoulder: 오십견

shoulder blade: 견갑골

shoulder depression test: 견갑 하강 테스트

shoulder girdle: 견갑대, 상지대

shoulder hand syndrome: 견수 증후군(肩手 症候群)

관 cervicobrachial syndrome: 경완 증후군

shoulder joint: 견관절

side bending: 측굴=lateral bending

side effect: 부작용

관 main effect, main action: 주작용

side posture table: C 시이드 포스처 테이블, HIO용 테이블

sidelying position: 측와위

sigmoid colon: S상 결장

sign: 징후, 전조(前兆)

simple joint: 단관절

simulation: malingering을 참조

sinus venosus: 정맥동

sinuvertebral nerve: 동척추신경(洞脊椎神經), 동굴척추신경

sitting position: C 좌위

skill: 기술, 기능, 스킬

slack out: C 피부의 여유를 제거한다.

관 tissue pull

soft tissue: 연부조직(주의: 연조직이 아니다)

soft tissue technique: C 연부조직 테크닉

solution: 용액

solvent: 용매

somatic/somato: 체성의

somato psychic hypothesis: C 체성정신성설(體性精神性說)

somato somatic reflex hypothesis: C 체성 · 체성반사설

somato sympathetic reflex: C 체성 · 교감신경반사설

somatic dysfunction: 체성 기능 부전

somatogenic: 체성원성(體性原性)의, 체(體) 세포 기원의

somato-visceral reflex: 체성 내장반사

space: 틈, 간격, 공간, 강(腔)

intervertebral disk space: 추간판강(椎間板腔)

joint space: 관절강(關節腔)

spasm: 스파즘, 경련, 경축

spastic: 경성(痙性)의, 경련성의

예 spastic paralysis: 경성마비

spasticity: 경축(痙縮)

spears painless system: 스피아즈 무통 시스템

specific contact: C 스페시픽 컨택트

▸스페시픽은 "특이한", "명확한"이라는 의미. broader, general의 반대어

specific technique: C 스페시픽 테크닉

반 general technique

spina bifida: 이분 척추, 척추 파열

spina bifida occulta: 잠재(성) 이분 척추

spinal: 1) 척수의, 2) 척추의

spinal canal: 척주관

spinal(canal) stenosis: 척주관 협착(증)

spinal column: 척주

spinal cord: 척수

spinal cord injury: 척수 손상

spinal fixation: C 척추 픽세이션

spinal fusion: 척추술, 척추 고정술

spinal manipulation therapy: C 척주 마니퓰레이션 세라피(주의: 척주 도수정복요법이라고 번역하지 않는다)

=SMT

spinal motion segment: C 척추 운동 분절

spinal muscle: 척주의 근

spinal nerve: 척수신경

spinal nerve root: 척수신경근

spinal palsy: 척수성 마비, 척수 마비

spinal reflex: 척수반사

spinal stress: C 척주 스트레스

spinal tap: 척추 천사

spinal touch technique: C 스파이널 터치 테크닉

spine: 1) 척추, 2) 척주, 3) 극(棘), 4) 결절

- anterior inferior iliac spine: 하전장골극
- anterior superior iliac spine: 상전장골극
- bamboo spine: 죽상 척주(竹狀脊柱)
- cervical spine: 경추
- dorsal spine: 1) 척주, 2) 흉추
- kissing spine: 극돌기 접촉
- lumbar spine: 요추
- posterior inferior iliac spine: 하후장골극
- posterior superior iliac spine: 상후장골극
- pubic spine: 치골극, 치골결절
- sciatic spine: 좌골극
- thoracic spine: 흉추

spinography: C 스파이노그래피

▸통상 중력이 가해진 상태(입위)에서 촬영한 엑스레이 분석에 의한 서블럭세이션의 발견 방법.

spinous process: 극돌기=SP

splanchnic: 내장의

splint: 부자(副子), 부목, 스플린트

관 splinting: 부자 고정, 스플린팅

spondylarthrosis: 척추 관절증

spondylitis: 척추염

ankylosing spondylitis: 강직성 척추염

spondylolisthesis: 척추 전방전위증

관 retrospondylolisthesis: 척추 후방전위증

degenerative spondylolisthesis: 변성 척추 전방전위증

spondylolysis: 척추분리증

spondylophytes: 척추 골극

spondylosis: 척추증

cervical spondylosis: 경추증

spondylosis deformans: 변형성 척추증

spondylotherapy: 스폰딜로 세라피

▸척추의 위를 경타 등을 이용하는 요법으로 장기를 지배하는 신경 분절 레벨에서 반사반응을 유도한다.

spondylotic myelopathy: 척추증성 척수증

spontaneous: 자연발생의, 자발의

관 idiopathic: 특발성의

sprain: 염좌

sacroiliac sprain: 선장관절 염좌

springing: 도약, 탄력성이 있음

spur: 골극, 예 spur formation: 극형성(棘形成)

square stance: C 스퀘어 스탠스

▸환자에게 직각으로 향하여 선다.=toggle stance

squatting position: 웅크린 자세

stability: 안정성, 반 instability: 불안정성

stabilization: 안정화

stabilized hand: C 간접수=indifferent hand
=stabilizing hand

standing position: 입위

static palpation: C 정적 촉진

static scoliosis: 정력학적(靜力學的) (척주) 측만(증)

statics: 정력학(靜力學)

stationary table: C 스테이션너리 테이블

▸고정식의 스탠다드적인 치료 테이블

stcnosis: 협착

spinal(canal) stenosis: 척주관 협착(증)

sternoclavicular joint: 흉쇄관절

sternocostal joint: 흉늑관절

stiff: 굳은, 딱딱한, 경직된

acute painful stiff neck: 급성 경부통

stiffness: 강직, 경직

still point: 정지점

William G. Sutherland DO가 사용한 용어로, 뇌척수액의 파동(기초호흡 메커니즘의 한 요소)에 기인된다고 하는 리듬의 짧은 휴지기. 오스테오파시 마니퓰레이션 치료의 촉진으로 막(또는 인대)의 긴장이 평형점에 도달할 때 관찰된다.

stimulus: 자극

strain: 근(건) 좌상, (근, 건, 인대의) 기계적 피로

lumbosacral strain: 요선추부 염좌(주의: 예외적으로 좌상이라고 번역하지 않는다)

muscle strain: 근섬유나 골격근의 근육이 끊어지거나 찢어지는 일.

stress: 스트레스, 응력

관 eustress: 좋은 스트레스, 선역 스트레스

dystress: 나쁜 스트레스, 악역 스트레스

셀리에는 적응반응을 일으키는 생체의 상태를 "스트레스" 및 자극에 대해서는 "스트레서"로서 구별했다.

stretch: 스트레칭, 신장

stretch reflex: 신장반사

stretching: 스트레칭, 예 stretching exercise

stringiness: 줄 같은 접촉

study: 연구

subacute: 아급성의

subluxation: C 서블럭세이션(주의: 아탈구라고 번역하지 않는다)

▸인접관절 구조의 정상적인 동력학적, 해부학적, 생리학적 관계의 변조.

subluxation complex: C 복합 서블럭세이션

▸Faye가 제창한 것으로, 관절과 근의 운동병리학, 신경병태생리학, 조직병리학의 생화학적 영향 등의 요소를 포함한다. 환자의 예후는 복합 서블럭세이션의 병태생리학적 요소의 가역성에 의존한다고 한다.

subluxation syndrome: C 서블럭세이션 증후군

superior: 상방의, 두방의, 두측의

반 inferior: 하방의

supination: 회외(回外)

반 pronation: 회내(回內)

supinator: 회외근

supine: 앙와위의

supine position: 앙와위

support: 1) 지지, 2) 지지 장구

surgery: 외과, 외과학, 외과수술

sway back: 스웨이 백, 굽은 등, 요원배(凹圓背)

symmetric(al): 대칭의, 대칭성의

symmetry: 좌우 대칭

sympathetic: 교감신경의

sympathetic nerve: 교감신경

sympathetic trunk: 교감신경간

symptom: 징후, 증후, 증상

symptomatic: 징후적인, 전조가 된다

syndesmophyte: 인대 골극, 인대 골극 형성

관 syndesmosis: 인대결합

syndrome: 증후군

예 facet syndrome: 추간관절 증후군

synovia: 활액=synovial fluid

synovial joint: 활막관절, 활막성 관절=diarthrosis: 가동관절

synovial membrane: 활막

synovitis: 활막염

systole: 수축기

T

table: C 테이블(치료대, 진찰대의 의미)

예 chiropractic table

tapotement: 구타법

technique: 테크닉, 수법(手法), 기법

관 technic: 전문적 방법=technicality

temperature: 온도

temporomandibular joint: 악관절, 턱관절=TMJ

tender point: 압통점=point of tenderness

tenderness: 압통

tendon: 건(腱)

pchilles tendon: 아킬레스건

patellar tendon: 슬개건

tennis elbow: 테니스주, 테니스 엘보

tenostosis: 건골화, 건의 골화

tenosynovitis: 건초염

tension: 긴장, 장력

예 joint tension: 관절 장력

test: 테스트, 검사

예 orthopedic test: 정형학(整形學) 테스트

texture: 감촉

thenar contact: C 모지구 접촉

therapeutic: 치료의, 치료, 요법

therapeutic exercise: 운동요법

therapy: 세라피, 요법

예 chiropractic manipulative therapy

thermography: 서모그래피, 온도 묘사법

thigh: 대퇴

thigh bone: 대퇴골

thompson terminal point table: C 드럽 구조가 장착된 테이블

thompson technique: C 톰슨 테크닉

thoracic inlet: 흉곽 입구

thoracic outlet syndrome: 흉곽출구증후군

thoracic spine: 흉추

thoracic vertebra: 흉추

thorax: 흉곽

thrombocyte: 혈소판

thrust: C 스러스트 = impulse thrust

▸환자 신체의 적절한 부위에 조절된 일정 방향의 힘을 손으로 신속하게 가하는 것. 어저스트먼트로서 효과가 있다.

thrusting hand: C 직접수→contact hand 참조

thumb: 모지, 엄지

thumb contact: C 모지 접촉

tibia: 경골

tight: 딱딱하다, 굳어지다.

  예 tight hamstring: 긴장성 햄스트링

tightness: 견고, 긴장

tilting: 경사

tissue: 조직

tissue pull: C 조직의 당김

  ▸조직의 여유를 제거한다=tissue slack

  관 articular slack: 관절의 여유를 제거한다

tissue texture abnormality(TTA): 조직 이상 촉감

TMJ: temporomandibular joint의 약어

toe: 발가락

toftness technique: C 토프트네스 테크닉

toggle recoil: C 터글 리코일

tone: 긴장, 톤

tonic neck reflex: 긴장성 경반사

tonicity: 긴장 상태

  관 hypertonicity: 근의 과긴장

  hypotonicity: 근의 긴장 저하

tonus: 토누스, 긴장도

tool: 도구(손을 포함한 넓은 의미)

topical: 국소의, 국부의

torque: 토크, 비틀림

torquing thrust: C 토크 스러스트

  ▸비틀림을 가한 스러스트

관 clockwise: 우측 회전, 시계 방향 회전
counterclockwise: 좌측 회전, 반시계 방향 회전

torsion: 염전(捻轉)

toxin: 독소, 반 antitoxin: 항독소

total paralysis: 전신마비

TP: transverse process의 약어

traction: 견인

tpinal traction: 척추 견인, 척추 견인법

transitional segment(transitional vertebral segment): 이행 분절

transitional vertebra: 이행추

관 lumbarization: 요추화
sacralization: 선추화

translation: 평행 이동, 번역

transverse: 횡경(橫經)의, 횡행(橫行)의

transverse process: 횡돌기=TP

transverse section: 횡단면

trauma: 손상, 상해, 외상

예 ticrotrauma: 미소 외상(微小外傷)

treatment: 치료, 처치

예 chiropractic treatment

tremor: 전율, 떨림, 진전(振戰)

trigger toint: 트리거 포인트, 통증 유발점

▸자극을 받으면 일정의 반사 기서에 의해 관련통, 그 외의 현상을 일으키는 작은 과민부위. 그 반응은 항상 정해진 관련 영역에서 발생한다.

trophic: 영양의

trophic nerve function: C 영양신경작용

trophicity: 영양 가치(영양의 기능 또는 영양 관련)

tropism: 트로피즘, 추간관절면의 비대칭

truncus: trunk를 참조

trunk: 1) 체간, 2) 간(幹) (주의: 동체(胴體)라고 번역하지 않는다)

=truncus

예 sympathetic trunk: 교감신경간

tuberculosis: 결핵

tuberosity: 관절, 조면

tumor: 1) 종양, 2) 종류(腫瘤), 3) 종창

spinal tumor: 척추 종양

tussis: 기침, 해소

U

ulman's line: 울만 라인《엑스레이에서》

ultrasonic: 초음파

ultrasonic therapy: 초음파 요법=ultrasound therapy

ultrasonography: 초음파 진단법

ultrasound therapy: 초음파 요법=ultrasonic therapy

ultraviolet ray: 자외선

uncinate process: 구상돌기(鉤狀突起)

=luschka process: 루쉬카 돌기

unconditioned reflex: 무조건 반사

uncovertebral joint: 구추관절(鉤椎關節)

=luschka joint: 루쉬카 관절

unilateral: 한쪽의, 편측의, 일측의

universal intelligence: C 절대적 지능

관 innate intelligence: C 선천적 지능

upper arm: 상완

upper cervical: 상부 경추(주의: 경추 상부, 상위 경추라고 번역하지 않는다)

upper extremity: 상지(上肢)

upper limb: 상지(上肢)

upright position: 입위(주의: 직립위라고 번역하지 않는다)

uric acid: 요산

urinalysis: 소변검사

urine: 소변, 오줌

US Department of Health and Human Service: 미국 보건복지가족부

US Office of Education: 미국 교육인적자원부

V

vacuum: 진공

vector: 벡터

vein: 정맥

vena cava: 대정맥

venesection: 정맥 절개

velocity: 속도

vertebra: 추골, 척추

- block vertebra: 괴추(塊椎), 괴상추
- cervical vertebra: 경추
- fish vertebra: 어추
- lumbar vertebra: 요추
- neutral vertebra: (측만) 이행추
- sacral vertebra: 선추
- thoracic vertebra: 흉추
- transitional vertebra: 이행추
- wedge vertebra: 설상추(楔狀椎), 쐐기형 추골

vertebrae: vertebra의 복수형

vertebral: vertebra의 형용사형

vertebral arch: 추궁

vertebral artery: 추골동맥

vertebral body: 추체

vertebral column: 척주

vertebral foramen: 추공

vertebral joint: 척추관절

vertebral motion segment: Ⓒ 추체 운동 분절

1) 인접한 2개의 추체와 그 사이의 추간판, 2개의 추체를 연결하는 2개의 후관절 및 인대 구조.

2) 2개의 추체의 해부학적, 기능적 관계의 조절, 이들 관절돌기와 관련된 근계, 인대 및 활막 구조상의 통합.

vertebral motor unit: Ⓒ 척추 운동 단위=functional spinal unit

vertebral prominence: 융추(隆椎)

vertebral segments: 척추 분절

vertebral spur: 척추 골극, 척추 골극 형성《엑스레이에서》

vertebral subluxation complex: Ⓒ 척추 복합 서블럭세이션

vertebral unit: 척추 단위

vertebrobasilar insufficiency: 추골뇌저동맥부전증

vibration: 진동

vicious circle/cycle: 악순환

vis medicatrix naturae: 자연치유력

visceral: 내장의

visceral afferent: 내장구심성신경

visceral efferent: 내장원심성신경

viscerosomatic convergence: 내장체성폭주(內臟體性輻輳)

viscerosomatic reflex hypothesis: Ⓒ 내장체성반사설

viscoelasticity: 점탄성=점성+탄성

viscosity: 점성
viscous: 점성의, 점도, 점성도
vital capacity: 폐활량
vital sign: 바이탈 사인, 생명 징후
volume: 용적
voluntary muscle: 수의근(隨意筋)
vomiting: 구토
vocal cord: 성대
von fox combination technique: Ⓒ 본 폭스 콤비네이션 테크닉
vulnerable: 취약한, 연약한

W

warm compress: 온습포
web contact: Ⓒ 모지-검지간 접촉
wedge vertebra: 설상추(楔狀椎), 쐐기 모양의 추골
weight-bearing joint: 체중 부하 관절
weight-bearing line of L3: 제2 요추의 하중선
well leg raising test: 웰 레그 레이싱 테스트
wellness & health: 웰네스(상쾌한 상태)와 건강
wet pack: 습포
WFC: Ⓒ world federation of chiropractic의 약어
wheelchair: 휠체어
whiplash injury: 편타성 상해
=acceleration injury, cervical sprain, hyper-extension injury
WHO: world health organization의 약어
within normal limits: 정상범위내=WNL
=NAD: no abnormality detected

WNL: within normal limits: 정상범위내의 약어

World Federation of Chiropractic: C 세계 카이로프랙틱 연합=WFC

World Health Organization: 세계보건기구=WHO

wrist: 수관절

wrist joint: 수관절

wry neck: 사경

Y

yellow ligament: 황인대, 황색인대

Z

zygapophyseal joint: 추간관절=facet joint

zygapophysis: 척추 관절돌기=articular process

2 카이로프랙틱 약어

동일한 약어가 복수의 원어로 대응하는 경우도 있지만, 특히 카이로프랙틱 분야의 약어는 Ⓒ로서 구별했다.

AA: Atalantoaxial Joint 환축관절

ABD: Abduction 외전

AC: Acromioclavicular Joint 견쇄관절

ADD: Adduction 내전

ADD: Atlantodental Distance 환추치돌기간 거리=ADI

ADI: Atlantodetal Interspace 환추치돌기간 거리=ADD

ADL: Activities of Daily Living 일상생활 활동(동작)

ANS: Autonomic Nervous System 자율신경

AP: Anteroposterior 전후의

AP: Ⓒ Articular Process 관절돌기

ART: Articulatory treatment 관절치료법

ASIS: Anterior Superior Iliac Spine 상전장골극

ATR: Achilles Tendon Reflex 아킬레스건 반사

BLT: Balanced Ligamentous Tension treatment 인대 긴장 균형 치료법/인대 관절 변형 치료법

CA: Carcinoma 암

CH: Ⓒ Contact Hand 직접수, 교정을 실시하는 손

CMT: Ⓒ Chiropractic Manipulative Therapy 카이로프랙틱 마니풀레이티브 세라피

CNS: Central Nervous System 중추신경

CP: Cerebral Palsy 뇌성마비

CR: Cranial Treatment 두개 치료법, 크라니얼 치료법

CSF: Cerebrospinal Fluid 뇌척수액

CT: Computerized Tomography 컴퓨터 단층 촬영

CVA: Cerebrovascular Accident, Stroke 뇌혈관 장애

DDx: Differential Diagnosis 감별 진단

DIR: Direct Treatment 직접요법

DJD: Degenerative Joint Disease 변성관절질환

DP: Ⓒ Doctor's Position 닥터의 위치

Dx: Diagnosis 진단

ECG: Electrocardiography 심전도=EKG

EEG: Electroencephalography 뇌파

EMG: Electromyography 근전도

Ex: Exercise 연습, 훈련, 체조

FFD: Finger Floor Distance 전굴할 때에 손가락과 바닥의 거리

GAS: General Adaptation Syndrome 전신 적응증후군

GP: General Practitioner

HVLA: High Velocity/Low Amplitude treatment 저진폭의 고속 스러스트

Hx: (Clinical) History 병력

IAR: Ⓒ Instantaneous Axial Rotation 순간 회전축

ICU: Intensive Care Unit 집중 치료실

IH: Ⓒ Indifferent Hand 간접수, 교정을 보좌하는 손

IQ: Intelligence Quotient 지능 지수/EQ

IVF: Ⓒ Intervertebral Foramen 추간공/IVC

LCC: Luxatio Coxae Congenita 선천성 고관절 탈구

LLD: Leg Length Discrepancy 각장차(脚長差), 다리 길이 차이

LOM: Limitation of Motion 운동(가동역) 제한

ME: Muscle Energy treatment 근 에너지 치료법

MMT: Manual Muscle Testing 도수 근력검사

MP: Ⓒ Mamillary Process 유두돌기

MP: Metacarpophalangeal Joint 중수지절관절

MRI: Magnetic Resonance Imaging 자기공명화상법

NAP: Nerve Action Potential 신경 활동전위

OA: Osteoarthritis 골관절염

OALL: Ossification of Anterior Longitudinal Ligament 전종인대골화(증)

OLF: Ossification of the Ligamentum Flavum 황색인대골화(증)

OPLL: Ossification of Posterior Longitudinal Ligament 후종인대골화(증)

OT: Occupational Therapy 작업요법

Occupational Therapist: 작업요법사

PIP: Proximal Interphalangeal Joint 근위지절관절

PNF: Proprioceptive Neuromuscular Facilitation 고유수용기 신경근 촉진(촉통(促通))

PNS: Peripheral Nervous System 말초신경계

PP: Ⓒ Patient Position 환자의 위치, 자세

PSIS: Posterior Superior Iliac Spine 상후장골극

PT: Physical Therapy 물리요법

PT: Physiotherapist 물리요법사

Pt: Patient 환자

RA: Rheumatoid Arthritis (만성) 관절 류마티스

REM: Rapid Eye Movement 렘(수면)

ROM: Range of Motion (관절의) 가동역

Rx: Recipe 치료, 처방, 투약

SC: Sternoclavicular Joint 흉쇄관절

SCM: Sternocleidomastoid Muscle 흉쇄유돌근

SLR: Straight Leg Raising 신전 하지 거상 테스트

SMT: Ⓒ Spinal Manipulative Therapy 스파이널 마니퓰레이션 세라피

SOAP: Subjective and Objective Data Assessment of Patient Response, Plan of Action 주관적 정보, 객관적 정보, 평가, 계획

SP: Ⓒ Spinous Process 극돌기

ST: Soft tissue Treatment 연부조직 치료법

TB: Tuberculosis 결핵

TBC: Tuberculosis 결핵

TMJ: Temporomandibular Joint 악관절, 턱관절

TP: Ⓒ Transverse Process 횡돌기

VD: Venereal Disease 성병

VS: Vital Sign 바이탈 사인, 생명 징후

VSC: Ⓒ Vertebral Subluxation Complex 척추 복합 서블럭세이션

WNL: Within Normal Limits 정상 범위 내

관 NAD < No Abnormality Detected

Xp: X−ray Photography X선 사진

3 방향, 위치, 운동을 표현하는 용어

vertical: 수직 방향의

horizontal: 수평 방향의

transverse: 횡(橫), 가로의

superior: 상방의, 두방의, 두측의

inferior: 하방의

anterior: 전방의, 앞의, 복측(腹側)의

posterior: 후방의, 뒤의, 배측(背側)의

ventral: 복측(腹側)의

dorsal: 배측(背側)의

medial: 내측의, 중간의

intermediate: 중간의

lateral: 외측의, 측면의

proximal: 근위의, 기부의

distal: 원위의, 말단의

right: 우측의

left: 좌측의

superficial: 표재성의, 천부의

deep, Profound: 심부의

internal: 내부의, 내측의

external: 외부의, 외측의

radial: 요골측의

ulnar: 척골측의

tibial: 경골측의

fibular: 비골측의

palmar: 장측(掌側), 손바닥측의

plantar: 저측(底側)의, 바닥측의
supine: 앙와위의
prone: 복와위의
recumbent: 횡와위의
afferent: 구심성의
efferent: 원심성의
abduction: 외전
adduction: 내전
flexion: 굴곡
extension: 신전
rotation: 회전
eversion: 외반
inversion: 내반
circumflex: 회전
recurrent: 반회(反回)
elevation: 거상, 융기
depression: 침하, 저하
supination: 회외
pronation: 회내
frontal plane: 전두면
sagittal plane: 시상면
transverse plane: 횡단면
median line: 정중선
anatomical position: 해부학적 위치(자세)
erect position: 직립 자세

4 각 기관별 기초용어

1) 외피계(Integumentary System)

abrasion: 찰과상, 마모

acne: 좌창, 여드름

albinism: 백피증

alopecia: 탈모증

angioma: 혈관종

apocrine sweat gland: 아포크린 한선

axillary hair: 액와모, 겨드랑이 털

boil(furuncle): 부스럼, 종기, 창(瘡)

breast: 가슴, 유방

callus: 피부 경결, 굳은 살

carbuncle: 옴, 염증

contusion: 좌상, 멍

cuticle: 소피, 표피

eccrine sweat gland: 에크린 한선

eczema: 습진

epithelioma: 상피종

erythema nodosum: 결절성 홍반

excoriation: 찰과상

furuncle(boil): 종기, 부스럼

gangrene: 괴저

hair: 털

hyperhidrosis: 발한 과다증

impetigo: 농가진(膿痂疹)

lactation: 유즙 분비, 수유

layer: (피부) 층
macula: 반점, 기미, 멍, 반(斑)
mammary gland: 유선
melanocyte: 멜라닌 세포
melanoma: 흑색종, 멜라노마
miliaria(rash): 한진, 땀띠
nail: 손톱
nipple: 유두
petechia: 점상출혈
pruritus(itchness): 가려움증, 소양증(搔痒症)
psoriasis: 선선
purpura: 자반, 자반병
scab: 가피(痂皮), 부스럼 딱지
scar, cicatrix: 반흔, 흉터, 상처 자국
scleroderma: 경피증
seborrheic dermatitis: 지루성 피부염
suppuration: 화농
systemic lupus erythematosus: 전신 홍반성 루브스
telangiectasia: 모세혈관 확장증
thermoregulatory center: 체온 조절 중추
tinea: 백선, 쇠버짐
ulcer: 궤양
verruca: 사마귀

2) 감각기관(The Sense Organs)

amblyopia: 약시(弱視)
astigmatism: 난시
auditory ossicles: 이소골

malleus: 추골
incus: 침골
stapes: 등골
auditory tube: 이관
auricle, pinna: 이개
blepharoptosis: 안검 하수
bulb of the eye(eyeball): 안구
canthus: 안각
cataract: 백내장
cerumen: 귀지
choroid: 맥락막
ciliary body: 모양체
cochlea: 와우
color blindness: 색맹
concha: 갑개
conjunctiva: 결막
conjunctivitis: 결막염
cornea: 각막
deafness: 난청
epiphora: 유루(流淚)
equilibrium: 평형 상태
external auditory meatus: 외이도
external ear: 외이
extraocular muscle: 외안근
eyelid, Palpebra: 안검
field of vision: 시야
fundus: 안저(眼底)
glaucoma: 녹내장

helix: 이륜(耳輪)
hordeolum, sty: 맥립종, 다래끼
hyperopia, farsightedness: 원시
inner ear: 내이(內耳)
iris: 홍채
keratitis: 각막염
labyrinth: 미로, 미궁
lens: 수정체
mastoiditis: 유양돌기염
middle ear: 중이(中耳)
myopia, nearsightedness: 근시
myringitis: 고막염
nystagmus: 안진
optic: 눈의, 시력의
optic nerve: 시신경
orbital cavity(eye socket): 안와
otalgia: 이통(耳痛)
otitis externa: 외이염
otorrhagia: 귀 출혈, 이출혈
otorrhea: 이루(耳漏)
presbycusis: 노인성 난청
presbyopia: 노안
pupil: 동공
retina: 망막
sclera: 공막
semicircular canals: 반규관
strabismus(squint): 사시
tinnitus: 이명

trachoma: 트라코마
tragus: 이주(耳珠)
tympanic cavity: 고실
tympanic membrane, eardrum: 고막
vertigo, dizziness: 현기증
vestibule: 전정
vision: 시력

3) 근육과 골격(The Muscular and Skeletal System)

amphiarthrodial joint: 반관절
ankylosing spondylitis: 강직성 척추염
arthrochondritis: 관절연골염
articular cartilage: 관절 연골
articular disks: 관절원판
bursa, −ae: 포, 활액포
bursitis: 활액낭염
circumduction: 순환 운동
coxa vara: 내반고(內反股)
decalcify: 탈회하다
degenerative joint disease: 퇴행성 관절질환
diarthrodial joint: 가동관절
eversion: 외반, 회외, 외전
ganglion: 결절종, 강글리온, 신경절
genu valgum: 외반슬(外反膝), X 다리
genu varum: 내반슬(內反膝), O 다리
gout: 통풍
inversion: 내반, 회전
multiple myeloma: 다발성 골수종

myopathy: 마이오파시, 근장해
ossification: 골화
osteoarthropathy, OA: 골관절증
osteogenesis: 골형성
osteomyelitis: 골수염
osteoplasty: 골형성, 골형성술
osteoporosis: 골조송증, 골다공증
pes planus, flat foot: 편평족
pronation: 회내[운동]
range of motion(ROM): 가동역
rotation: 회전, 회선
scapulothoracic: 견갑골흉부의
spina bifida: 이분 척추, 척추 파열
spinal curvature: 척주 만곡
- scoliosis: 측만
- kyphosis: 후만
- lordosis: 전만

spondylolisthesis: 척추 전방전위증
supination: 회외[운동]
synarthrodial joint: 부동관절
synovial fluid: 활액
talipes: 만족(彎足)
visceralgia: 내장통(內臟痛)

4) 신경계(The Nervous System)

addiction: 중독
agnosia: 실인증
amnesia: 기억 상실, 기억 소실

analgesic: 진통약
anesthesia: 지각 탈실, 마취
anorexia nervosa: 신경성 식용 부진
anticonvulsant: 항경련약
antidepressants: 항우울증약
apathy: 무관심, 감정 둔마
apoplexy(stroke): 졸중(卒中)
apraxia: 실행증
autism: 자폐증
brain stem: 뇌간
cerebellitis: 소뇌염
cerebral aneurysm: 뇌동맥류
cerebral palsy: 뇌성마비, 뇌성 소아마비
cerebrospinal fluid: 뇌척수액
chemoreceptor: 화학 수용기
chorea: 무답병(舞踏病)
coma: 혼수
confusion: 착란
cranial nerves: 뇌신경
delirium: 정신 착란, 섬망
delusion: 망상
dependence: 의존
diencephalon: 간뇌
disorientation: 정신적 혼란, 방향식별 장애
dyskinesia: 운동 이상증
encephalitis: 뇌염
encephalomyelitis: 뇌척수염
epilepsy: 간질

- grand(petit) mal seizure: 대(소) 발작
- convulsion: 경련
- spasmodic contraction: 경련성 수축

epinephrine: 에피네프린, 아드레날린
hallucination: 환각
hydrocephalus: 수두증
hyperalgesia: 통각 과민
hypnotics: 최면약
idiopathic: 특발성의
insomnia: 불면증
lacrimation: 유루(流涙)=lachrymation
medulla[oblongata]: 연수
mental disorders: 정신적 장애

- senile dementia: 노년성 치매
- involutional melancholia: 퇴행기 우울병
- paranoia: 망상증

mesencephalon: 중뇌
migraine[headache]: 편두통
multiple sclerosis: 다발성경화증
myelocele: 척수류(脊髓瘤), 척수낭류(脊髓囊瘤), 척수 탈출증
myotonic dystrophy: 근긴장성 디스트로피
narcotic: 마취약
nerve block: 신경 차단
neurolysis: 신경 박리, 신경조직 붕괴
neurosclerosis: 신경경화증
paralysis agitans: 진전마비(振戰麻痺)
paresis: 부전마비
paresthesia: 감각 이상증

plexus: 신경총
poliomyelitis: 폴리오, 회백수염
pons: 교(橋)
prophylaxis: 예방
psychoneurosis: 정신신경증
  anxiety: 불안
  depression: 항우울증, 우울병
  hypochondria: 심기증
  hysteria: 히스테리
  neurasthenia: 신경쇠약증
  obsessive–compulsive neurosis: 강박성 신경증
psychosomatic illness: 정신 신체증, 심신증
sciatica: 좌골신경통
semicoma: 반혼수
speech disorders: 언어장애
  aphasia: 실어증
  aphonia: 실성증(失聲症)
  dysphasia: 부전 실어증
somnambulism: 몽유병
spinal nerves: 척수신경
stupor: 혼미
subarachnoid hemorrhage: 지주막 출혈
subconsciousness: 하의식, 잠재의식
subdural hematoma: 경막하 출혈
syncope: 실신
tic douloureux: 통풍성 틱
tremor: 진전(振戰), 떨림, 전율
  intention tremor: 기도 진전(企圖振戰)

5) 순환기계(The Circulatory System)

aneurysm: 동맥류, 맥류

angina pectoris: 협심증

aortosclerosis: 대동맥 경화, 대동맥 경화증

auscultation: 청진

cardiac output: 심박출량

congestive heart failure: 울혈성 심부전

contraction: 수축

coronary circulation: 관상동맥 순환

coronary thrombosis: 관상동맥 혈전[증]

embolus: 색전

fibrillation: 세동(細動)

hemangioma: 혈관종

intermittent claudication: 간헐성 파행증

murmur: 잡음

neurogenic shock: 신경성 쇼크

palpitation: 동계(動悸)

peripheral vascular circulation: 말초혈관 순환

phlebitis: 정맥염

phlebotomy: 정맥절개, 사혈

portal(hepatic) circulation: 문맥(간장) 순환

pulsation, heart beat: 박동

pulse pressure: 맥압

raynaud's disease: 레이노병

relaxation: 이완

rheumatic heart disease: 류마티성 심질환

shock: 쇼크(주의: 카이로프랙틱에서의 shock와 다른 의미)

sinoatrial(SA) node: 동방결절

thromboangiitis: 혈전 혈관염, 혈전을 수반하는 혈관의 염증
valvular disease: 판막증

6) 혈액(The Blood)

acidosis: 아시도시스, 산성증
agglutination: 응집반응
albumin: 알부민
alkalosis: 알칼로시스, 알카리 혈증
aplastic anemia: 재생불량성 빈혈
basophil: 호염기구
eosinophil: 호산구
erythrocyte count: 적혈구수
extravasation: 일혈(溢血, 몸의 조직사이에서 일어나는 내출혈)
fibrinogen: 피브리노겐
globulin: 글로블린
granulocytes: 과립구
hematocrit(Ht, HCT): 헤마토크릿(혈구를 혈장에서 분리하기 위한 원심분리기)
hematologist: 혈액학자
hematopoiesis: 조혈(造血)
hemolytic anemia: 용혈성 빈혈
hemophilia: 혈우병
heparin: 헤파린
hyperglycemia: 고혈당, 고혈당증
hypoglycemia: 저혈당, 저혈당증
monocyte: 단구, 단핵세포
neutrophil: 호중구
phagocytosis: 식작용

platelet: 혈소판
plasma: 혈장, 플라스마
polymorphonuclear leukocyte: 다형핵 백혈구
prothrombin: 프로트롬빈
septicemia: 패혈증
serum: 혈청
thrombocytes: 혈소판
thrombocytopenia: 혈소판 감소[증]
thrombolysis: 혈전 용해

7) 호흡기계(The Respiratory System)

alkalemia: 알카리 혈[증]
aphasia: 실어증
blood expectoration: 객혈
common cold: 감모(感冒), 감기
cough: 기침
dysphonia: 언어장애
hoarseness: 사성, 목잠긴 소리, 목쉰 소리
hyperventilation: 과호흡 증후군
nasal polyp: 비용종
nasal septum: 비중격
pneumothorax: 기흉
pyothorax: 농흉(膿胸)
short of breath(SOB): 숨이 참, 헐떡임
upper respiratory infection(URI): 상기도 감

8) 소화기계(The Digestive System)

adenoid[s]: 아데노이드, 선(腺) 모양의 증식

antacid: 제산제
antidiarrheic: 자사제(설사 멈추는 약)
antiemetic: 제토제
ascites: 복수(腹水), 복수증
borborygmus: 복명(腹鳴), 꾸르륵 소리
bowel movement(BM): 장운동, 변통, 대변이 나옴
calculus: 결석
cardia: 분문
cathartic: 설사약(설사를 하게 하는 약)
cholelith: 담석=gallstone
constipation: 변비
crown: 치관(齒冠)
digestant: 소화제
deciduous teeth(milk teeth): 유치(乳齒)
defecation: 배변
deglutition(swallowing): 연하
dysentery: 이질
emetic: 최토제, 구토제
eructation(belching): 트림
excretion: 배설
flatus: 방귀, 가스, 팽만
fundus: 기저부
gastroduodenitis: 위십이지장염
gastroma: 위장의 종양
glossopharyngeal: 설인(舌咽)의
glossoplegia: 혀 마비=glossolysis
hernia: 헤르니아, 탈장
hyperacidity: 위산과다

hypoglycemia: 저혈당[증]
ileitis: 회장염
ileocecal: 회맹의
indigestion: 소화불량
interdental: 치간(齒間)의
intestinal obstruction: 장폐색
intussusception: 장중첩, 장중적
laxative: 완하제(緩下劑), 변비약
lithogenesis: 결석 형성
mastication: 저작
mesentery: 장간막
palate: 구개
paralytic ileus: 마비성 일레우스, 무력장폐쇄증
peristalsis: 연동
permanent teeth: 영구치
polydipsia: 번갈증, 조갈증
proctologist: 직장 항문병 전문의
sigmoid colon: S상결장
tenesmus: 변을 보고 난 후에도 변이 남아있다고 느끼는 증상.
tonsil: 편도
uvula: 구개수
volvulus: 장염전(腸捻轉)

9) 비뇨기계(The Urinary System)

anuria: 무뇨, 무뇨증
clearance: 청소율
diuresis: 이뇨(利尿)
diuretic: 이뇨제

enuresis: 유뇨(遺尿), 유뇨증
filtration: 여과
glomerulus: [신장] 사구체
glomerulonephritis: 사구체 신염
hemodialysis: 혈액 투석
incontinence: 실금
micturate, urinate: 배뇨하다
nephrolith: 신결석
nephron: 네프론
nephroptosis(floating kidney): 신장 하수, 신장 하수증
nocturia: 야간 빈뇨, 야간 빈뇨증
nocturnal enuresis: 야뇨, 야뇨증
oliguria: 핍뇨(乏尿), 핍뇨증
proctorrhagia: 직장 출혈, 항문 출혈
reabsorption: 재흡수
trigone of bladder: 방광 삼각
unilateral nephromegaly: 일측성 신비대[증]
ureteral colic: 요관산통
ureteric orifice: 요관구
urethral orifice: 요도구
urethritis: 요도염

10) 생식기계(The Reproductive System)

Male

benign prostatic hypertrophy: 양성 전립선 비대증
hypogonadism: 생식선 저하증
impotence: 임포텐스, 발기 부전
infertility: 불임증

inguinal hernia: 서혜 헤르니아
orch[id]itis: 고환염

Female

abortion: 유산
amniocentesis: 양수 검사
cervix uteri: 자궁경
delivery: 출산
dystocia: 난산
eclampsia: 자간증(子癎症) (임신 중독증의 일종)
ectopic pregnancy: 자궁외 임신
fibromyoma: 섬유근종
gestation period: 임신 기간
gonorrhea: 임질
hyperemesis gravidarum: 입덧
leukorrhea: 백대하
lues: 매독=syphilis
menarche: 초경
menstrual cycle: 월경 주기
menstrual disorders: 월경 장해
metritis: 자궁염, 자궁근층염
myometrium: 자궁근층
obstetrics: 산과학(産科學)
premature labor: 조산
stillbirth: 사산
syphilis: 매독
toxemia[of pregnancy]: 임신 중독증
umbilical cord: 제대(臍帶)

uterus: 자궁

11) 내분비계(The Endocrine System)

catecholamines: 칼테콜아민

diabetes insipidus: 요붕증

estrogen: 에스트로겐

glucocorticoids: 당질 콜티코이드

mineralocorticoids: 전해질 콜티코이드

parathyroid: 부갑상선(의)

periadenitis: 선주위염(腺周圍炎), 샘주위염, 선 주위 조직의 염증

pineal body: 송과체

placenta: 태반

progesterone: 프로게스테론

testosterone: 테스토스테론

참고문헌

- 스테드먼 의학대사전. 메디컬 뷰 사.
- 오스테오파시 총람. 엔타프라이스
- 일본인체해부학. 남산당
- 정형외과검사법. 과학신문사
- 척추 모션 팔페이션. 신일서적
- 최신 도수의학. 신흥의학출판사
- 카이로프랙틱 용어집. 과학신문사
- X선 사진 임상검사의 카이로프랙틱 참고도서. 스카이이스트

감수

이 모선 대체의학박사

연세대학교에서 영어영문학을 전공하고 미국 California 주에서 oriental medicine을 공부한 후 대체의학 박사 학위를 경기대학교에서 취득하였습니다.

편저자

인곡(仁谷) **정 지문** 대체의학박사

저자는 90년대 초 국내에서 수기치료를 공부하다가 96년 일본유학을 통해 카이로프랙틱과 오스테파시, 각종 수기요법을 배웠으며, SOT 자격 취득과 국내 유일 하모닉 테크닉 이수자이다.

또한 유니온 카이로프랙틱 협회장을 역임하며 국제세미나를 통해 해외의 수준 높은 테크닉 소개와 "정지문 자가치유요법"의 건강 콘텐츠를 계속해서 보급해오고 있다.

그리고 대체의학대학원과 유니온 카이로프랙틱 협회를 통해 오랫동안 후학을 양성해왔으며, "정지문 카이로프랙틱 TV–JJ chiropractic TV" 유튜브와 "정지문 자가치유" (네이버 블로그)를 통해 임상에 활용할 수 있는 진단과 테크닉 그리고 누구나 쉽게 하는 자가치료법을 소개해오고 있다.

저자는 2015년 초, 다시 일본으로 건너가 요코하마에서 "유니온 카이로프랙틱 시술원(ユニオン カイロプラクティック 施術院)을 개업하여 임상에 임하면서 신크로라보 테크닉과 네거티브 에너지 테크닉 등, 각종 테크닉을 이수하고 2021년 4월 귀국했다.

저서로는 "임상 응용 카이로프랙틱, 도수치료 테크닉"(대학서림), "카이로프랙틱 용어사전(대학서림)이 있으며, 역서로는, "척주 모션 팔페이션"(나카가와 다카오, 신일서적), "카이로프랙틱 디버시파이드 테크닉 1, 2"(나카이 코지, 대학서림), "21c 면역과 건강"(아보 토오루, 신일서적), "기적의 내 운명", "재능 살리기의 기적", "기적의 자녀교육" 등이 있다.

카이로프랙틱 용어사전

발행일. 2021년 6월 2일 발행
편저자. 정지문

발행인. 윤진영 | **발행처.** 도서출판 대학서림
주소. 03076 서울특별시 종로구 혜화로2길 8
전화. 02.745.1220 02.763.1220 | **팩스.** 02.744.1210
홈페이지. http://www.daihaks.com | **등록번호.** 제1-88호
ISBN. 978-89-6940-264-6 94510
978-89-6940-262-2 94510(세트)